A-Z Street Atlas of
COVENT

G000293638

Key to Maps

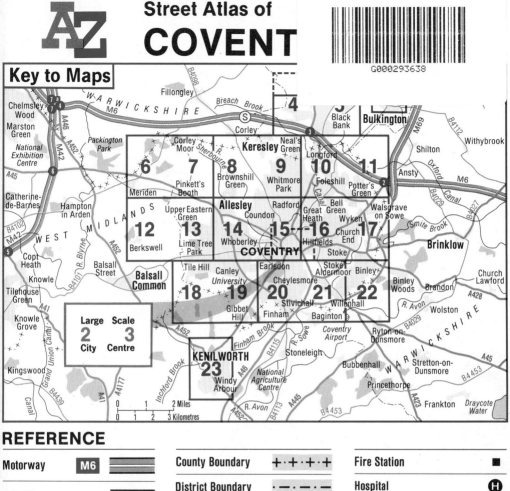

REFERENCE

Motorway M6	**County Boundary** +·+·+·+	**Fire Station** ■
A Road A45	**District Boundary** ·–·–·–	**Hospital** H
B Road B4453	**Postcode Boundary** CV6	**House Numbers** Selected Roads 22 35
Dual Carriageway	**Map Continuation** 14 / Large Scale 2 City Centre	**Information Centre** i
One Way Street → Traffic flow on A Roads is indicated by a heavy line on the driver's left.	**Ambulance Station** ✚	**National Grid Reference** 435
	Car Park Selected P	**Police Station** ▲
Railway Level Crossing / Station	**Church or Chapel** †	**Post Office** ●
		Toilet ▽ Disabled Toilet-National Key Scheme

SCALE 3⅓ inches to 1 mile

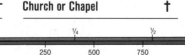

0   ¼   ½   ¾ mile
0   250   500   750   1 kilometre

1:19,000

Geographers' A-Z Map Co., Ltd.

Head Office: Fairfield Road, Borough Green, Sevenoaks, Kent. TN15 8PP   Telephone 0732 781000
Showrooms: 44 Gray's Inn Road, Holborn, London, WC1X 8LR Telephone: 071-242 9246

The Maps in this Atlas are based upon the Ordnance Survey Maps with the sanction of The Controller of Her Majesty's Stationery Office.
Crown Copyright Reserved.

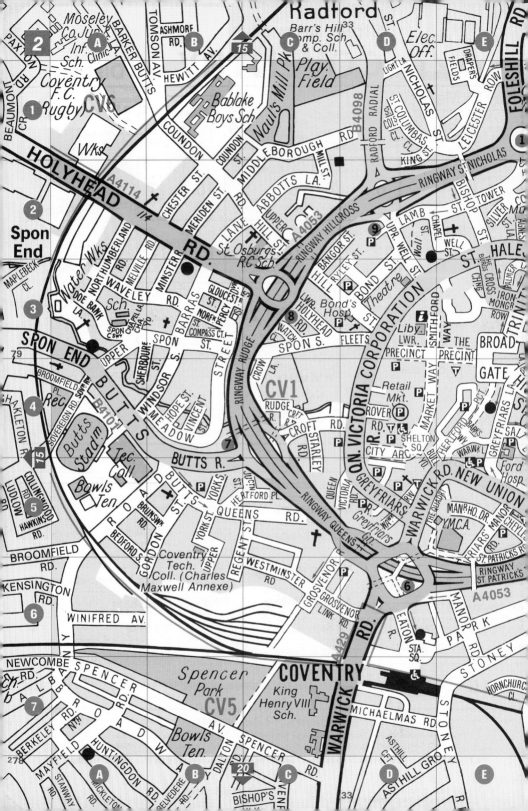

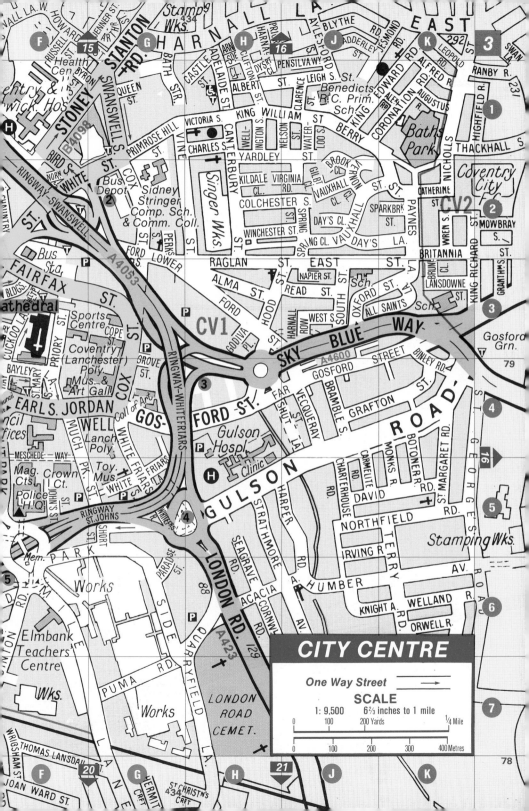

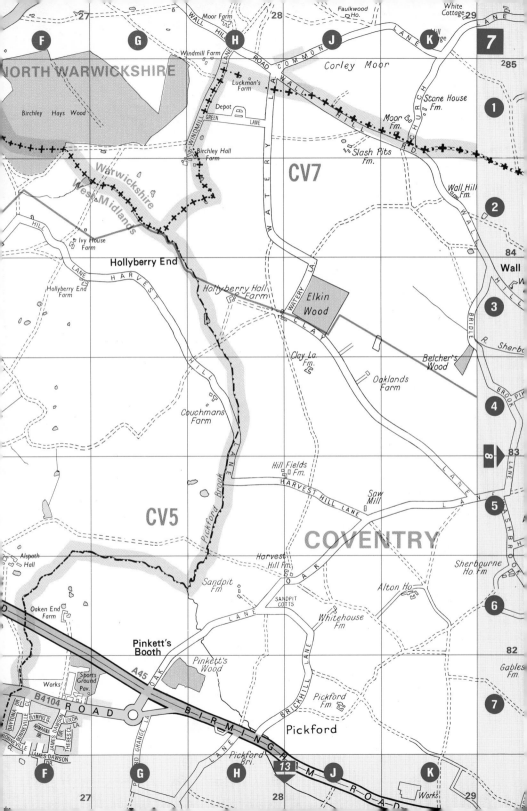

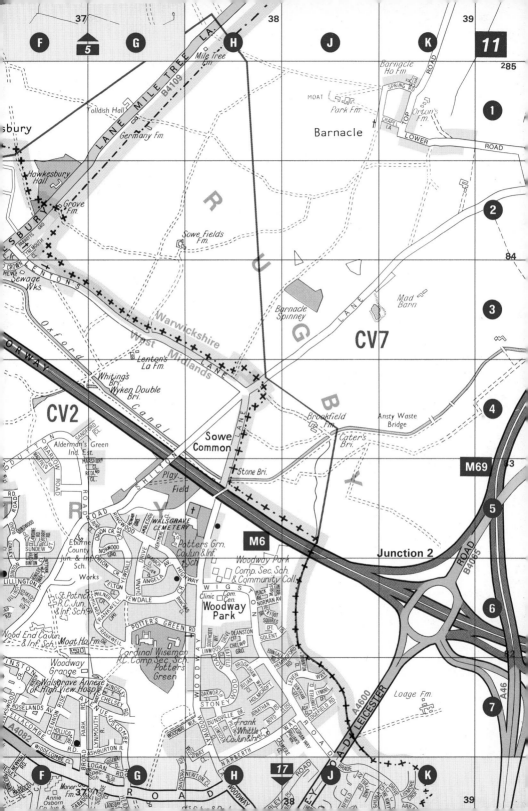

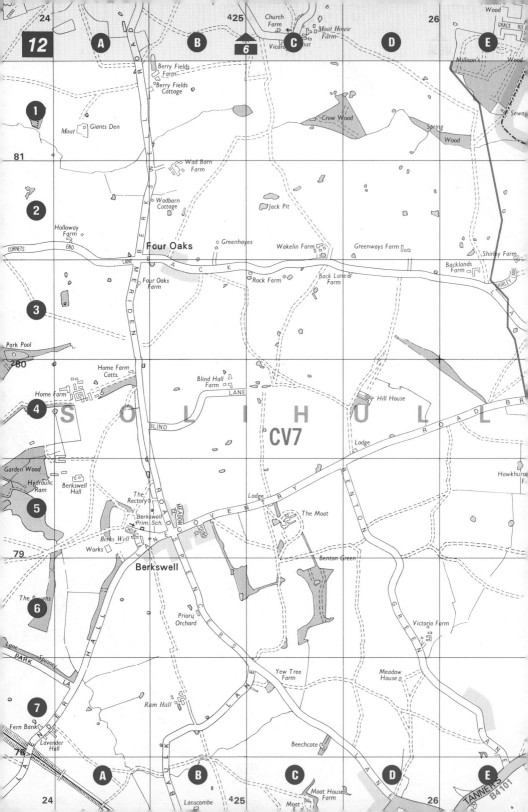

Wood

GRACE RD

Church
Farm

Moat House
Farm

Vicarage   Moat

Millison's   Wood

1

Berry Fields
Farm

Berry Fields
Cottage

Crow Wood

Spring

Sewa

Moat   Giants Den

81

Wood

Wad Barn
Farm

2

Wadbarn
Cottage

Jack Pit

Holloway
Farm

Greenhayes

Wakelin Farm

Greenways Farm

Shirley Farm

CORNETS   END

Four Oaks

Rock Farm

Back Lane
Farm

Backlands
Farm

Four Oaks
Farm

3

Park Pool

Home Farm
Cotts.

Blind Hall
Farm

LANE

Hill House

280

Home Farm

4

S O L I H U L L

BLIND

CV7

Lodge

Lodge

ROAD

BR

Garden Wood

Hawkhurst
F

Hydraulic
Ram

Berkswell
Hall

The
Rectory

Lodge

5

Berkswell
Prim. Sch.

The Moat

Berks Well

79

Works

Benton Green

Berkswell

The Roughs

Victoria Farm

6

Priory
Orchard

PARK   Spinner

Yew Tree
Farm

Meadow
House

7

Ram Hall

Fern Bank

Lavender
Hall

Beechcote

78

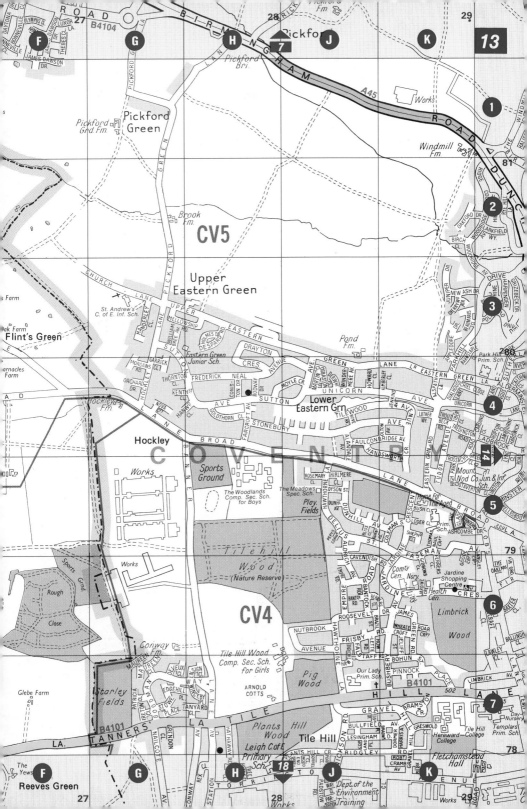

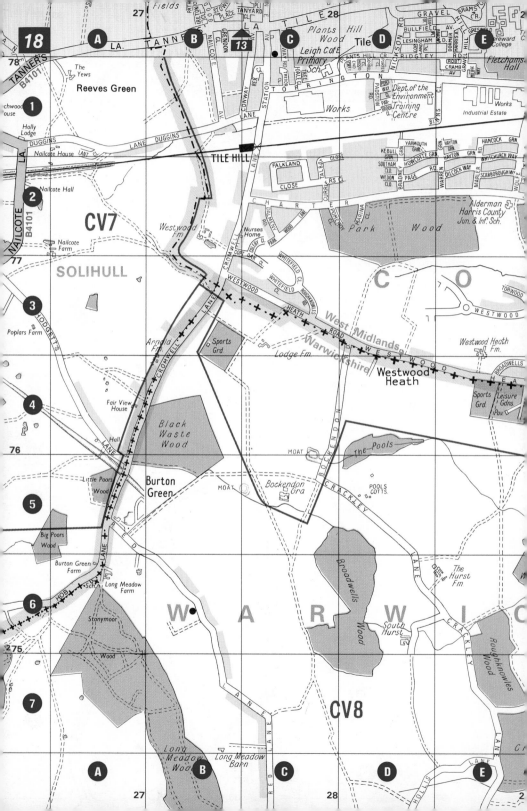

INDEX TO STREETS

HOW TO USE THIS INDEX

1. Each street name is followed by its Postal District and then by its map page reference; e.g. Abberton Way. CV4—5J 19 is in the Coventry 4 Postal District and it is to be found in square 5J on page 19. However, with the general usage of Postal Coding, it is not recommended that this index should be used as a means of addressing mail.

2. A strict alphabetical order is followed in which Av., Rd., St. etc. (even though abbreviated) are read in full and as part of the street name, e.g. Abbeydale Clo. appears after Abbey Ct. but before Abbey End.

GENERAL ABBREVIATIONS

All: Alley	Comn: Common	Ho: House	Pk: Park
App: Approach	Cotts: Cottages	Ind: Industrial	Pas: Passage
Arc: Arcade	Ct: Court	Junct: Junction	Pl: Place
Av: Avenue	CV: Coventry	La: Lane	Rd: Road
Bk: Back	Cres: Crescent	Lit: Little	S: South
Boulevd: Boulevard	Dri: Drive	Lwr: Lower	Sq: Square
Bri: Bridge	E: East	Mnr: Manor	Sta: Station
B'way: Broadway	Embkmt: Embankment	Mans: Mansions	St: Street
Bldgs: Buildings	Est: Estate	Mkt: Market	Ter: Terrace
Chu: Church	Gdns: Gardens	M: Mews	Up: Upper
Chyd: Churchyard	Ga: Gate	Mt: Mount	Vs: Villas
Circ: Circle	Gt: Great	N: North	Wlk: Walk
Cir: Circus	Grn: Green	Pal: Palace	W: West
Clo: Close	Gro: Grove	Pde: Parade	Yd: Yard

Abberton Way. CV4—5J 19
Abbey Ct. CV8—4G 23
Abbeydale Clo. CV8—6H 17
Abbey End. CV8—4G 23
Abbey Hill. CV8—4G 23
Abbey Rd. CV3—3G 21
Abbey Way. CV3—3G 21
Abbotsbury Clo. CV2—4J 17
Abbotts La. CV1—2C 2 & 5H 15
Abercord Rd. CV5—6F 15
Aberdeen Rd. CV5—3A 14
Abergavenny Wlk. CV3—2C 22
Acacia Av. CV1—6H 3 & 7A 16
Acacia Cres. CV12—3J 5
Acorn St. CV3—1J 21
Adam Rd. CV6—1C 16
Adare Dri. CV3—1D 20
Adcock Dri. CV8—3H 23
Addenbrooke Rd. CV7—1G 9
Adderley St. CV1—4A 16
Addison Rd. CV6—7G 9
Adelaide St. CV1—1H 3 & 4A 16
Agincourt Rd. CV3—2F 21
Ainsbury Rd. CV5—1K 19
Ainsdale Clo. CV2—3D 10
Aintree Clo. CV6—3A 16
Aintree Clo. CV12—2G 5
Alandale Av. CV5—4J 13
Albany Rd. CV5 & CV1—7A 2 & 7G 15
Albert Cres. CV6—4H 9
Albert Rd. CV5—7E 6
Albert St. CV1—1H 3 & 4A 16
Albion St. CV8—3H 23
Aldbourne Rd. CV1—3J 15
Aldbury Rise. CV5—4B 14
Alderman's Grn. Rd. CV2—4D 10
Alderminster Rd. CV5—4A 14
Aldermoor La. CV3—1H 21
Alder Rd. CV6—5C 10
Alders, The. CV12—4D 4
Aldrich Av. CV4—5J 13
Aldrin Way. CV4—4J 19
Alexander Rd. CV12—3H 5
Alexandra Rd. CV1—1K 3 & 4B 16
Alexandra Ter. CV6—5A 10
Alfall Rd. CV2—3D 16
Alfred Rd. CV1—1K 3 & 4B 16
Alfriston Rd. CV3—5D 20
Alice Clo. CV12—5E 4
Alison Sq. CV2—3D 10
Allan Rd. CV6—4F 15
Allard Way. CV3—2H 21 to 6F 17
Allerton Clo. CV2—6G 17
Allesley By-Pass. CV5—2B 14
Allesley Croft. CV5—2A 14
Allesley Hall Dri. CV5—3C 14
Allesley Old Rd. CV5—3C 14
Allesley Pk. CV5—3C 14
Alliance Way. CV2—3C 16
Allied Clo. CV6—5K 9
All Saints La. CV1—3J 3 & 5A 16
All Saints Rd. CV12—5E 4
All Saints Sq. CV12—5E 4
Alma St. CV1—3H 3 & 5A 16
Almond Tree Av. CV2—5D 10
Alpine Ct. CV8—2H 23
Alpine Rise. CV3—4B 20

Alspath La. CV5—4K 13
Alspath Rd. CV7—6A 6
Alverstone Rd. CV2—4C 16
Alvin Clo. CV3—7H 17
Amberley Av. CV12—1B 4
Ambler Gro. CV2—5E 16
Ambleside. CV2—5G 11
Ambleside Rd. CV12—4F 5
Amersham Clo. CV5—4B 14
Amherst Rd. CV8—2F 23
Amos-Jaques Rd. CV12—2F 5
Anchorway Rd. CV3—5B 20
Anderton Rd. CV2—2D 10
Anderton Rd. CV12—5B 4
Angela Av. CV6—6G 11
Anglesey Clo. CV5—1B 14
Angless Way. CV8—5G 23
Angus Clo. CV5—4A 14
Anne Cres. CV3—4K 21
Ansty Rd. CV2—4E 16 to 3G 17
Anthony Way. CV2—6E 16
Antrim Clo. CV5—1A 14
Appledore Dri. CV5—3K 13
Arbour Clo. CV8—5J 23
Arbury Av. CV6—5A 10
Arbury Av. CV12—3F 5
Archer Rd. CV8—5F 23
Archery Rd. CV7—6A 6
Arch Rd. CV2—3G 17
Arden Clo. CV7—6A 6
Arden Clo. CV8—5J 23
Arden Rd. CV12—1B 4
Arden St. CV5—7F 15
Argyll St. CV2—1B 22
Arkle Dri. CV2—1H 17
Arlidge Cres. CV8—4K 23
Armarna Dri. CV5—7F 7
Armfield St. CV6—6C 10
Armorial Rd. CV3—3C 20
Armscott Rd. CV2—2E 16
Armson Rd. CV7—6F 5
Armstrong Av. CV3—7D 16
Arne Rd. CV2—2J 17
Arnham Corner. CV3—3A 22
Arnold Av. CV3—4D 20
Arnside Clo. CV1—4A 16
Arran Croft. CV2—1K 17
Arthingworth Clo. CV3—7G 17
Arthur St. CV1—4K 15
Arthur St. CV8—3H 23
Arundel Rd. CV3—3E 20
Arundel Rd. CV12—1B 4
Ascot Clo. CV3—3K 21
Ascot Clo. CV12—2G 5
Ashbridge Rd. CV5—4C 14
Ashburton Rd. CV2—7G 11
Ashby Clo. CV3—1C 22
Ashcombe Dri. CV4—5K 13
Ashcroft Clo. CV2—7J 11
Ashdown Clo. CV3—1A 22
Ash Dri. CV8—4H 23
Ashfield Rd. CV8—5J 23
Ashford Dri. CV12—3F 5
Ash Grn. La. CV7—1J 9
Ash Gro. CV7—1J 9
Ashington Gro. CV3—3H 21
Ashington Rd. CV12—5B 4
Ashmore Rd. CV6—4H 15

Ashorne Clo. CV2—5E 10
(in two parts)
Ashow Clo. CV8—4J 23
Ash Priors Clo. CV4—7B 14
Ash Tree Av. CV4—6A 14
Ashwood Av. CV6—3F 15
Asplen Ct. CV8—4K 23
Asthill Croft. CV3—7J 15
Asthill Gro. CV3—1D 20
Astley Av. CV6—5A 10
Astley La. CV12—3B 4
Aston Rd. CV5—7F 15
Atherston Pl. CV4—3J 19
Athol Rd. CV2—2J 17
Attoxhall Rd. CV2—4G 17
Attwood Cres. CV2—1E 16
Augustus Rd. CV1—1K 3 & 4B 16
Avenue, The. CV3—3H 21
Avondale Rd. CV5—1B 20
Avon Rd. CV8—5F 23
Avon St. CV2—3D 16
Awson St. CV6—2B 16
Axholme Rd. CV2—4G 17
Aylesford. CV1—4A 16
Aynho Clo. CV5—5A 14

Babbacombe Rd. CV3—4E 20
Bablake Clo. CV6—7F 9
Back La. CV7 & CV5—3B 12 to 3F 13
Bacon's Yd. CV6—5B 10
Badger Rd. CV3—1A 22
Baginton Rd. CV3—3C 20
Bagshaw Clo. CV8—7D 22
Baker St. CV6—1D 10
Bakewell Clo. CV3—1C 22
Ballantine Rd. CV6—2H 15
Ballingham Clo. CV4—6A 14
Balliol Rd. CV2—4D 16
Balmoral Clo. CV2—2H 17
Bangor St. CV1—3C 2 & 5H 15
Bankside Clo. CV3—3G 21
Banks Rd. CV3—6B 15
Banner La. CV4—4G 13
Bantam Gro. CV6—6A 9
Bantock Rd. CV4—6J 13
Barbican Rise. CV2—6C 16
Barbridge Rd. CV12—2A 4
Barford Clo. CV3—2A 22
Barford M. CV8—5J 23
Barford Rd. CV8—5J 23
Barker Butts La. CV6—3F to 4G 15
Barley Lea, The. CV3—1J 21
Barlow Rd. CV2—4F 11
Barnack Av. CV3—4C 20
Barnacle La. CV12—3B 4
Barn Clo. CV5—3C 14
Barnfield Av. CV5—1A 14
Barnstaple Clo. CV5—4K 13
Baron's Croft. CV3—2E 21
Baron's Field Rd. CV3—2E 20
Barracks Way. CV1—4E 2 & 6J 15
Barras Grn. CV2—4C 16
Barras La. CV1—3B 2 & 5H 15
Barratt's La. CV7—2K 9
Bar Rd. CV3—1F 21
Barrow Clo. CV2—1K 17
Barrowfield Ct. CV8—4G 23

Barrowfield La. CV8—4G 23
Barrow Rd. CV8—4G 23
Barston Clo. CV6—4C 10
Bartlett Clo. CV6—5A 10
Barton Rd. CV6—5B 10
Barton Rd. CV12—3F 5
Barton's Meadow. CV2—2D 16
Basford Brook Dri. CV6—2B 10
Basildon Wlk. CV2—1J 17
Bassett Rd. CV6—3G 15
Batemans Acre S. CV6—4G 15
Bates Rd. CV5—2K 19
Bath St. CV1—1G 3 & 4K 15
Bathurst Rd. CV6—2G 15
Bathway Rd. CV3—5B 20
Batsford Rd. CV6—4F 15
Baulk La. CV7—7B 12
Baxter Clo. CV4—6A 14
Bayley La. CV1—4F 3 & 6K 15
Bayton Rd. CV7—5G & 7F 5
Bayton Way. CV7—6H 5
Beacon Rd. CV6—4J 9
Beaconsfield Rd. CV2—6D 16
Beake Av. CV6—6H 9
Beamish Clo. CV2—1J 17
Beanfield Av. CV3—5A 20
Beauchamp Rd. CV8—6F 23
Beaudesert Rd. CV5—7F 15
Beaufort Dri. CV3—2C 22
Beaumaris Clo. CV5—3K 13
Beaumont Cres. CV6—4G 15
Beaumont Rd. CV7—1F 9
Beausale Croft. CV5—5A 14
Beche Way. CV5—3B 14
Beckbury Rd. CV2—1H 17
Beckfoot Dri. CV2—6H 11
Becks La. CV7—2E 6
Bede Rd. CV6—2H 15
Bede Rd. CV12—2F 5
Bedford St. CV1—5A 2 & 6G 15
Bedlam La. CV6—4A 10
Bedworth Clo. CV12—2A 4
Bedworth Rd. CV6—2C 10
Bedworth Rd. CV12—2A 4
Beech Dri. CV8—3J 23
Beeches, The. CV12—4D 4
Beech Rd. CV6—3H 15
Beech Tree Av. CV4—6B 14
Beechwood Av. CV4—7E 14
Beechwood Av. CV5—1A 20
Beechwood Croft. CV8—6G 23
Beechwood Rd. CV12—2H 5
Beehive Hill. CV8—1F 23
Beeston Clo. CV3—1C 22
Belgrave Rd. CV2—4G 17
Belgrave Sq. CV2—4G 17
Bellairs Av. CV12—5D 4
Bell Dri. CV7—7D 4
Bell Grn. Rd. CV6—7C 10
Belmont Rd. CV6—1B 16
Belvedere Rd. CV5—1B 20
Benedictine Rd. CV3—2D 20
Benedict Sq. CV2—7E 10
Bennett's Rd. CV7—1F 9
Bennett's Rd. N. CV7—1E 8
Bennett's Rd. S. CV6 & CV7—4F 9
Benn Rd. CV12—2A 4
Benson Rd. CV6—6G 9

Benthall Rd. CV6—5B 10
Bentley Rd. CV7—5F 5
Benton Grn. La. CV7—5D 12
Bentree, The. CV3—1J 21
Beresford Av. CV6—6K 9
Berkeley Rd. CV8—2F 23
Berkeley Rd. N. CV5—7G 15
Berkeley Rd. S. CV5—1B 20
Berket Rd. CV6—4H 9
Berkswell Rd. CV6—5C 10
Berkswell Rd. CV7—2A 12
Berners Clo. CV4—6J 13
Berry St. CV1—1J 3 & 4A 16
Bertie Rd. CV8—4G 23
Berwick Clo. CV5—4B 14
Berwyn Av. CV6—6G 9
Bettman Clo. CV3—3F 21
Beverley Dri. CV4—7J 19
Bevington Cres. CV6—3E 14
Bexfield Clo. CV5—2A 14
Bideford Rd. CV2—1E 16
Bigbury Clo. CV3—4F 21
Biggin Hall Cres. CV3—6D 16
Bilberry Rd. CV2—5F 11
Billesden Clo. CV3—1B 22
Billing Rd. CV5—6D 14
Billinton Clo. CV2—6G 17
Binley Av. CV3—2C 22
Binley Rd. CV1 & CV3—3K 3 to 7H 17
Binns Clo. CV4—1E 18
Binswood Clo. CV2—5F 11
Binton Clo. CV2—6F 11
Binton Rd. CV2—6F 11
Birch Clo. CV5—2K 13
Birch Clo. CV12—2J 5
Birches La. CV8—5H 23
Birchfield Rd. CV6—7F 9
Bird Gro. Ct. CV1—3K 15
Bird St. CV1—2F 3 & 5K 15
Birmingham Rd. CV7 & CV5
    —5A 6 to 2C 14
    (Coventry, in two parts)
Birmingham Rd. CV7 & CV5—7C 6
    (Meriden)
Birmingham Rd. CV8—1F 23
Bishopston Clo. CV5—5B 14
Bishop St. CV1—2E 2 & 5J 15
Bishop's Wlk. CV5—1C 20
Bittern Wlk. CV2—6F 11
Black Bank. CV7—5G 5
Blackberry La. CV2—2C 16
Blackberry La. CV7—2J 9
Blackburn Rd. CV6—4B 10
Black Horse Rd. CV7 & CV6—1C & 2D 10
Black Pad. CV6—7J 9
Black Prince Av. CV3—2E 20
Blackshaw Dri. CV2—2H 17
Blackthorn Clo. CV4—4J 19
Blackthorn Rd. CV4—5H 23
Blackwatch Rd. CV6—7J 9
Blackwell Rd. CV6—7A 10
Blair Dri. CV12—5B 4
Blandford Dri. CV2—3H 17
Blenheim Av. CV6—5J 9
Bletchley Dri. CV5—4B 14
Blind La. CV7—4B 12
Bliss Clo. CV4—5J 13
Blockley Rd. CV2—2H 5
Blondvil St. CV3—2D 20
Blundells, The CV3—3G 23
Blyth Clo. CV12—5B 4
Blythe Rd. CV1—4A 16
Bockendon Rd. CV4—5C 18
Bodmin Rd. CV2—3H 17
Bodnant Way. CV8—2K 23
Bohun St. CV4—7K 13
Bolingbroke Rd. CV3—7C 16
Bolton Clo. CV3—4F 21
Bond St. CV1—3D 2 & 5J 15
Bonneville Clo. CV5—7F 7
Bonnington Dri. CV12—2F 5
Booths Fields. CV6—5A 10
Borrowdale Clo. CV6—7G 9
Borrowell La. CV8—4F 23
Boscastle Ho. CV5—5B 4
Boston Pl. CV6—7K 9
Boswell Dri. CV2—1J 17
Botoner Rd. CV1—4K 3 & 6B 16
Bott Rd. CV5—1J 19
Bourne Rd. CV3—7E 16
Bowden Way. CV3—7H 17
Bowfell Clo. CV5—4A 14
Bowling Grn. La. CV12—7D 4
Bowness Clo. CV6—7G 9
Boxhill, The. CV3—7D 16
Boyd Clo. CV2—7H 11
Bracadale Clo. CV3—5J 17
Brackenhurst Rd. CV6—1F 15
Brackley Clo. CV6—1F 15
Bracknell Wlk. CV2—1J 17
Brade Dri. CV2—1J 17
Bradfield Clo. CV5—3C 14

Bradney Grn. CV4—2D 18
Bradnick Pl. CV4—7K 13
Braemar Clo. CV6—1G 17
Bramble St. CV1—4J 3 & 6A 16
Bramcote Clo. CV2—2C 4
Brampton Way. CV12—1A 4
Bramston Cres. CV4—7K 13
Bramwell Gdns. CV6—2A 10
Brandfield Rd. CV6—7F 9
Brandon La. CV3—5A to 4E 22
Brandon Rd. CV3—7H 17
Branksome Rd. CV6—2E 14
Bransdale Av. CV6—4K 9
Bransford Av. CV4—4J 19
Branstree Dri. CV6—5K 9
Brathay Clo. CV3—3E 20
Brayford Av. CV3—3D 20
Bray's La. CV2—5C 16
Braytoft Clo. CV6—5J 9
Brazil St. CV4—6J 13
Bredon Av. CV3—2C 22
Bree Clo. CV5—1A 14
Brentwood Av. CV3—6D 20
Bretford Rd. CV2—6E 10
Brewer Rd. CV12—3C 4
Brewster Clo. CV2—6G 17
Brians Way. CV6—4A 10
Briardene Av. CV12—4G 5
Briars Clo. CV2—6E 16
Brickhill La. CV5—7J 7
Brickland Rd. CV3—5H 9
Bridgeacre Gdns. CV3—5H 17
Bridgecote. CV3—3B 22
Bridgeman Rd. CV6—3H 15
Bridge St. CV6—1B 14
Bridge St. CV8—3G 23
Bridle Brook La. CV5 & CV7—3K 7
Bridlepath, The. CV5—2B 14
Bridport Clo. CV2—3J 17
Brierley Rd. CV2—7E 10
Brightmere Rd. CV6—4H 15
Brighton St. CV2—5B 16
Bright St. CV6—2A 16
Bright Walton Rd. CV3—2E 20
Brill Clo. CV4—4H 19
Brindle Av. CV3—7E 16
Brindley Rd. CV7—7G 5
Brinklow Rd. CV3—7H 17
Brisbane Clo. CV3—3F 21
Briscoe Rd. CV6—3J 9
Bristol Rd. CV5—6F 15
Briton Rd. CV2—4C 16
Brittania St. CV2—2K 3 & 5B 16
Brixham Dri. CV2—2E 16
Brixworth Clo. CV3—1C 22
Broad Gate. CV1—3E 2 & 5J 13
Broadlands Clo. CV5—6C 14
Broad La. CV5—4E 12 to 6D 14
Broadmere Rise. CV5—6A 14
Broad Park Rd. CV2—1F 17
Broad St. CV6—1A 16
Broad St. Jetty. CV6—1A 16
Broadwater. CV5—1B 20
Broadway. CV5—7A 2 & 7G 15
Broadwells Cres. CV4—4E 18
Bromleigh Dri. CV2—6E 16
Bromley Clo. CV8—2F 23
Bromwich Clo. CV3—1C 22
Brook Clo. CV1—2J 3 & 5A 16
Brooke Rd. CV8—4J 23
Brookford Av. CV6—4G 9
Brooklyn Rd. CV1—5A 10
Brookshaw Way. CV2—7H 11
Brookside Av. CV5—5C 14
Brookside Av. CV8—4F 23
Brook St. CV12—1G 5
Brookvale Av. CV3—7G 17
Broome Croft. CV6—4H 9
Broomfield Pl. CV5—6G 15
Broomfield Rd. CV5—7F 15
Broomybank. CV8—2J 23
Browett Rd. CV6—4F & 3F 15
Browning Rd. CV2—5E 16
Brownshill Ct. CV6—7F 9
Brownshill Grn. Rd. CV6—6D 8
Brown's La. CV5—7A 8
Bruce Rd. CV6—7G 9
Bruce Rd. CV7—7E 4
Brunel Clo. CV2—3K 3 & 5B 16
Brunswick Rd. CV1—5A 2 & 6G 15
Bruntingthorpe Way. CV3—1B 22
Bryanston Clo. CV2—3J 17
Bryant Rd. CV7—7F 5
Brympton Rd. CV3—6E 16
Bryn Jones Clo. CV3—1C 22
Bryn Rd. CV6—1B 16
Buckfast Clo. CV3—4F 21
Buckhold Dri. CV5—3B 14
Buckingham Rise. CV5—4B 14
Bulkington Rd. CV12—4H 5
Bullfield Av. CV4—7J 13
Bullimore Gro. CV8—6H 23

Bull's Head La. CV3—6D 16
Bull Yd. CV1—4D 2 & 6J 15
Bulwer Rd. CV6—1G 15
Burbages La. CV6—2K 9
Burbury Clo. CV12—2H 5
Burges, The. CV1—3E 2 & 5J 15
Burlington Rd. CV2—4B 16
Burnaby Rd. CV6—6H 9
Burnham Rd. CV3—3H 21
Burnsall Gro. CV5—1H 19
Burnsall Rd. CV5—1H 19
Burnside. CV3—6J 17
Burns Rd. CV2—5E 16
Burns Wlk. CV12—5H 5
Burrow Hill N. CV7—1C 8
Burton Clo. CV5—5C 8
Busby Clo. CV3—2C 22
Bushberry Av. CV4—7K 13
Bush Clo. CV4—5K 13
Butchers La. CV5—2C 14
Butlers Cres. CV7—5F 5
Butlin Rd. CV6—3J 9
Buttermere Clo. CV3—2C 22
Butt La. CV1—6A 2 & 6G 15
Butts Rd. CV1—5B 2 & 6H 15
Byfield Rd. CV6—3E 14
Byron Av. CV12—4J 5
Byron St. CV1—1F 3 & 4K 15
Bywater Clo. CV3—5C 20

Cadden Dri. CV4—6B 14
Cadman Clo. CV12—3H 5
Caesar Rd. CV8—5F 23
Caithness Clo. CV5—4A 14
Caldecote Rd. CV6—5G 9
Calder Clo. CV12—2A 4
Calmere Clo. CV2—7H 11
Caludon Park Av. CV2—3G 17
Caludon Rd. CV2—4B 16
Calvert Clo. CV3—3E 20
Cambourne Ho. CV12—5C 4
Cambridge St. CV1—3A 16
Camden St. CV2—4C 16
Camelia Rd. CV2—5D 10
Camelot Gro. CV8—3K 23
Cameron Clo. CV5—1A 14
Campion Clo. CV3—3E 20
Campling Clo. CV12—2A 4
Canal Rd. CV6—7A 10
Canberra Rd. CV2—3E 10
Canley Ford. CV5—3K 19
Canley Rd. CV5—2J 19
Cannocks La. CV4—3J 19
Cannon Clo. CV4—3K 19
Cannon Hill Rd. CV4—4J 19
Cannon Pk. Rd. CV4—4H 19
Canon Dri. CV7—1K 9
Canterbury Clo. CV8—5K 23
Canterbury St. CV1—1H 3 & 4A 16
Cantlow Clo. CV5—5A 14
Capmartin Rd. CV6—1H 15
Capulet Clo. CV3—2H 23
Caradoc Clo. CV2—1F 17
Cardale Croft. CV3—7H 17
Cardiff Clo. CV3—4A 22
Cardigan Rd. CV12—5A 4
Carding Clo. CV5—4A 14
Carey St. CV6—6D 10
Cargill Clo. CV6—2B 10
Carlton Clo. CV12—1A 4
Carlton Rd. CV6—6B 10
Carmelite Rd. CV1—5J 3 & 6A 16
Carnbroe Av. CV3—2C 22
Carnegie Clo. CV3—4J 21
Carsall Clo. CV7—2K 9
Carter Rd. CV3—1H 21
Carthusian Rd. CV3—1D 20
Cartmel Clo. CV5—4A 14
Carver Clo. CV2—6G 17
Cascade Clo. CV3—3F 21
Cashmore Rd. CV8—4K 23
Cashmore Rd. CV12—5D 4
Cash's La. CV1—2K 15
Caspian Way. CV2—7J 11
Cassandra Clo. CV4—6J 19
Cassino Dri. CV3—3E 20
Castia Gro. CV8—4F 23
Castle Clo. CV3—3E 20
Castle Gro. CV8—4F 23
Castle Hill. CV8—3F 23
Castle Rd. CV8—3F 23
Castle St. CV1—1H 3 & 4A 16
Catesby Rd. CV6—7H 9
Catherine St. CV2—2K 3 & 5B 16
Cavans Way. CV3—1D 22
Cavendish Rd. CV4—6J 13
Cawnpore Rd. CV6—5H 9
Cawthorn Clo. CV1—4A 16
Cecily Rd. CV3—2E 20
Cedars Av. CV6—3E 14

Cedars Rd. CV7—5G 5
Cedars, The. CV7—6F 5
Cedric Clo. CV3—4K 21
Celandine Rd. CV2—5F 11
Centaur Rd. CV5—6F 15
Centenary Rd. CV4—2J 19
Central Av. CV2—6C 16
Chace Av. CV3—4J 21
Chadwick Clo. CV5—5B 14
Chalfont Clo. CV5—4B 14
Chalfont Clo. CV12—2F 5
Challenge Clo. CV1—4K 15
Chamberlaine St. CV12—3G 5
Chamberlains Grn. CV6—1F 15
Chancellors Clo. CV4—5J 19
Chandos St. CV2—5C 16
Chantries, The. CV1—3A 16
Chapel La. CV1—3A 2 & 5G 15
Chapel La. CV7—1K 11
Chapel Sq. CV6—6B 10
Chapel St. CV1—2D 2 & 5J 15
Chapel St. CV12—3G 5
Chapel Yd. CV1—3A 2 & 5G 15
Chard Rd. CV3—1A 22
Charity Rd. CV7—1G 9
Charlecote Rd. CV6—5G 9
Charles Eaton Rd. CV12—3E 4
Charles St. CV1—1H 3 & 4A 16
Charlewood Rd. CV6—5H 9
Charminster Dri. CV3—5E 20
Charter Av. CV4—2C 18 to 2J 19
Charterhouse Rd. CV1—5J 3 & 6A 16
Chatsworth Clo. CV12—3K 23
Chatsworth Rise. CV3—4F 21
Chauntry Pl. CV1—2F 3 & 5K 15
Cheadle Clo. CV2—3C 10
Cheam Clo. CV6—6C 10
Chelsey Rd. CV2—7G 11
Cheltenham Clo. CV12—2G 5
Cheltenham Croft. CV2—1H 17
Chelveston Rd. CV6—3E 14
Chelwood Gro. CV2—6H 11
Chenies Clo. CV5—5B 14
Chepstow Clo. CV3—4K 21
Chequer St. CV12—2B 4
Cheriton Clo. CV5—4D 14
Cherrybrook Way. CV2—6E 10
Cherry Orchard. CV8—3H 23
Cherry Way. CV8—3H 23
Cherrywood Gro. CV5—3K 13
Chesford Cres. CV6—5D 10
Chesholme Rd. CV6—4H 9
Chesils, The. CV3—4D 20
Chester St. CV1—2B 2 & 5H 15
Chesterton Rd. CV6—1G 15
Chestnut Av. CV8—6G 23
Chestnut Gro. CV4—6A 14
Chestnut Rd. CV12—2J 5
Chestnuts, The. CV12—4D 4
Chestnut Tree Av. CV4—6A 14
Chetwode Clo. CV5—4B 14
Cheveral. CV12—3F 5
Cheveral Av. CV6—2H 15
Cheylesmore. CV1—5E 2 & 6J 15
Chideock Hill. CV3—3B 20
Chiel Clo. CV5—4K 13
Chillaton Rd. CV6—5H 9
Chiltern Leys. CV6—4G 15
Chilterns, The. CV5—4B 14
Chingford Rd. CV6—3C 10
Christchurch Rd. CV6—2F 15
Chudleigh Rd. CV2—1G 17
Churchill Av. CV6—6K 9
Churchill Av. CV8—3H 23
Church La. CV2—5D 16
Church La. CV5—3G 13
Church La. CV5—4A 12
    (Berkswell)
Church La. CV7—1K 7
    (Corley)
Church La. CV7—7D 4
    (Exhall)
Church La. CV7—7B 6
    (Meriden)
Church Pk. Clo. CV6—6F 9
Church Rd. CV8—7F 21
    (Baginton)
Church Rd. CV8—7E 22
    (Ryton on Dunsmore)
Church St. CV1—4K 15
Church Wlk. CV5—2C 14
Church Way. CV12—3G 5
Childs Ct. CV5—3A 14
City Arc. CV1—4D 2 & 6J 15
Clara St. CV2—6C 16
Claremont Wlk. CV5—2C 14
Clarence St. CV1—1J 3 & 4A 16
Clarendon Rd. CV8—5H 23
Clarendon St. CV5—7F 15
Clarke's Av. CV8—5H 23
Clark St. CV6—6C 10

Claverdon Rd. CV5—5B 14
Clay La. CV2—4C 16
Clay La. CV5—3J 7
Clayton Rd. CV6—3E 14
Clements St. CV2—5C 16
Clennon Rise. CV2—7F 11
Cleveland Rd. CV2—4C 16
Cleveland Rd. CV2—1A 4
Clifford Bri. Rd. CV2 & CV3
        —3H to 6H 17
Clifton St. CV1—1H 3 & 4A 16
Clinton Rd. CV6—5B 10
Clipstone Rd. CV6—2E 14
Cloister Croft. CV2—2H 17
Close, The. CV8—2H 23
Cloud Grn. CV4—4J 19
Clovelly Rd. CV2—3D 16
Clyde Rd. CV12—2A 4
Coalpit Fields Rd. CV12—4H 5
Coat of Arms Bri. Rd. CV3—3A 20
Cobden Rd. CV6—3A 16
Colchester St. CV1—2H 3 & 5A 16
Colebrook Clo. CV8—5H 17
Coleby Clo. CV4—2C 18
Coleman St. CV4—5K 13
Colina Clo. CV3—4K 21
Colledge Rd. CV6—6K 9
Colleridge Rd. CV2—5E 16
Colliery La. CV7—5G 5
Collingwood Rd. CV5—6G 15
Collins Gro. CV4—4J 19
Columbia Gdns. CV12—4J 5
Colyere Clo. CV7—1G 9
Common La. CV7—1J 7
Common La. CV8—1J 23
Common Way. CV2—2C 16
Compass Ct. CV1—3B 2 & 5H 15
Compton Rd. CV6—5K 9
Comrie Clo. CV2—2H 17
Congleton Clo. CV6—5A 10
Congreve Wlk. CV12—3G 5
Conifer Paddock. CV3—7G 17
Coniston Clo. CV12—1B 4
Coniston Dri. CV5—4H 13
Coniston Clo. CV5—7F 15
Conrad Rd. CV6—1G 15
Constable Clo. CV12—6E 4
Constance Clo. CV12—6E 4
Convent Clo. CV8—1H 23
Cook St. CV1—2E 2 & 5J 15
Coombe Av. CV3—2C 22
Coombe Pk. Rd. CV3—6H 17
Coombe St. CV3—6D 16
Co-operative St. CV2—4D 10
Cope Arnolds Clo. CV6—3B 10
Cope St. CV1—3G 3 & 5K 15
Copice, The. CV3—1J 21
Copland Pl. CV4—7J 13
Copperas St. CV2—5D 10
Copper Beech Clo. CV6—6A 10
Copperfield Rd. CV2—5D 16
Copse, The. CV7—6F 5
Copsewood Ter. CV3—6E 16
Copthorne Rd. CV6—7F 9
Coral Clo. CV5—6C 14
Corfe Clo. CV2—3H 17
Corinthian Pl. CV2—2F 17
Cornelius St. CV3—1E 20
Corner Rd. CV4—3G 19
Cornets End La. CV7—2A 12
Cornfield, The. CV3—7E 16
Cornhill Gro. CV8—3K 23
Cornwall Rd. CV1—6H 3 & 7A 16
Coronation Rd. CV1—1K 3 & 4B 16
Coronel Av. CV6—3A 10
Corporation St. CV1—3D 2 & 5J 15
Cotman Clo. CV12—2F 5
Cotswold Dri. CV3—6D 20
Cottage Farm Rd. CV6—6G 9
Cottesbrook Clo. CV3—7G 17
Coundon Grn. CV6—1E 14
Coundon Rd. CV1—1B 2 & 4H 15
Coundon St. CV1—1B 2 & 4H 15
Countess's Croft. CV3—2E 20
Courthouse Croft. CV8—4K 23
Courtland Av. CV6—3F 15
Courtleet Rd. CV3—2F 21
Court Oak Clo. CV4—2B 18
Coventry Eastern By-Pass. CV3
     —5A 22 to 4K 17
Coventry Rd. CV3—6J 17
Coventry Rd. CV4—7H 19
Coventry Rd. CV7—5B 12
Coventry Rd. CV7—7H 23
Coventry Rd. CV8—6F 21
  (Baginton)
Coventry Rd. CV8—2G 23
  (Kenilworth)
Coventry Rd. CV10—1G 5
Coventry Rd. CV12—5G 5
  (Bedworth)

Coventry Rd. CV12—3A 4
  (Bulkington)
Coventry Rd. Exhall. CV7—7F 5
Coventry St. CV2—4C 16
Cove Pl. CV2—1E 16
Cowley Rd. CV2—4F 17
Cox St. CV1—2G 3 & 5K 15
Cozens Clo. CV6—1F 15
Crabmill La. CV6—1B 16
Crackley Cotts. CV8—1J 23
Crackley Cres. CV8—1J 23
Crackley La. CV8—1G 23
Crakston Clo. CV2—6G 17
Crampers Field. CV6—3G 15
Cranborne Chase. CV2—3H 17
Cranford Rd. CV5—5D 14
Cranmer's Rd. CV1—4B 16
Crathie Clo. CV2—3H 17
Craven St. CV5—6F 15
Crecy Rd. CV3—6E 16
Crescent Av. CV3—6E 16
Crescent, The. CV7—1F 9
Cressage Rd. CV2—1J 17
Crewe La. CV8—2K 23
Croft Fields. CV12—4G 5
Croft Pool. CV12—4E 4
Croft Rd. CV1—4C 2 & 6H 15
Croft Rd. CV12—4E 4
Croft, The. CV6—3B 10
Croft, The. CV7—6A 6
Croft, The. CV12—2A 4
Cromarty Clo. CV5—4A 14
Cromwell La. CV8 & CV4—4B to 2C 18
Cromwell Rd. CV2—2B 16
Crondal Rd. CV7—7G 5
Croome Clo. CV6—4F 15
Crosbie Rd. CV5—5E 14
Cross Cheaping. CV1—3E 2 & 5J 15
Cross Rd. CV6—7A 10
Cross Rd. CV7—1F 9
Crossway Rd. CV3—5C 20
Crow La. CV1—4C 2 & 6H 15
Crowmere Rd. CV2—1H 17
Croydon Clo. CV3—3F 21
Crummock Rd. CV6—4K 9
Cryfield Grange Rd. CV4—7H 19
Cubbington Rd. CV6—5C 10
Cuckoo La. CV1—3F 3 & 5K 15
Culworth Row. CV6—7A 10
Cumberland Wlk. CV2—1J 17
Curriers Clo. CV4—2C 18
Curtis Rd. CV2—2F 17
Curzon Av. CV6—7A 10
Cypruss Clo. CV3—1C 22

Dachet Clo. CV5—4C 14
Daffern Rd. CV7—5F 5
Daimler Rd. CV6—3J 15
Daintree Croft. CV3—2D 20
Dalby Rd. CV3—1B 22
Dalehouse La. CV8—2J 23
Daleway Rd. CV3—6C 20
Dallington Rd. CV6—2E 14
Dalmeny Rd. CV4—2C 18
Dalton Rd. CV5—7B 2 & 1C 20
Dalton Rd. CV12—4E 4
Dalwood Way. CV2—3D 10
Dame Agnes Gro. CV6—7D 10
Dane Rd. CV2—4C 16
Daphne Clo. CV2—5E 10
Dark La. CV1—4J 15
Dark La. CV12—5C 4
Darlaston St. CV7—6A 6
Darlston Row. CV7—6A 6
Darnford Clo. CV2—6G 11
Darrach Clo. CV2—6N 11
Dartmouth Rd. CV2—3E 16
Darwin Clo. CV2—2J 17
D' Aubney Rd. CV4—1H 19
Davenport Rd. CV5—1C 20
Daventry Rd. CV3—2D 20
David Rd. CV1—5J 3 & 6A 16
David Rd. CV7—6E 4
Davies Rd. CV7—6E 4
Dawes Clo. CV2—4C 16
Dawley Wlk. CV2—1J 17
Dawlish Dri. CV3—4E 20
Dawson Rd. CV3—7D 16
Day's Clo. CV1—2J 3 & 5A 16
Day's La. CV1—2J 3 & 5A 16
Daytona Dri. CV5—7F 7
Deanston Croft. CV2—6H 11
Dean St. CV2—5C 16
Deansway. CV7—1K 9
De Compton Clo. CV7—1G 9
Deedmore Rd. CV2—7E 10 to 5G 11
Deegan Clo. CV2—3C 16
Deerdale Way. CV3—1C 22
Deerhurst Rd. CV6—5H 9
Deer Leap, The. CV8—2J 23
Delage Clo. CV2—3D 10

Delamere Rd. CV12—4E 4
Delaware Rd. CV3—4D 20
Delhi Av. CV6—6K 9
Delius St. CV4—5J 13
Dell Clo. CV3—4K 21
De Montfort Rd. CV8—2F 23
De Montfort Way. CV4—3H 19
Dempster Rd. CV12—2F 5
Denbigh Rd. CV6—2E 14
Dencer Dri. CV8—3K 23
Denewood Way. CV8—3K 23
  (in two parts)
Denham Av. CV5—4B 14
Dennis Rd. CV2—3D 16
Denshaw Croft. CV2—7J 11
Derby La. CV1—3E 2 & 5J 15
Dering Clo. CV2—7E 10
Deronda Clo. CV12—3F 5
Dersingham Dri. CV6—5D 10
Derwent Clo. CV5—4J 13
Derwent Rd. CV6—5G 9
Derwent Rd. CV12—4F 5
Despard Rd. CV5—3H 13
Deveux Clo. CV4—1K 13
Devon Gro. CV2—2D 16
Devoran Clo. CV7—6G 5
Dewsbury Av. CV3—4C 20
Dialhouse La. CV5—4K 13
Diana Dri. CV2—6G 11
Dickens Rd. CV6—7G 9
Didsbury Rd. CV7—5F 5
Digby Clo. CV5—2B 14
Digby Pl. CV7—6A 6
Dilcock Way. CV4—2E 18
Dillam Clo. CV2—7E 10
Dillotford Av. CV3—2D 20
Dingle Clo. CV6—2G 15
Dingley Rd. CV12—2A 4
Doe Bank La. CV1—3A 2 & 5G 15
Dogberry Clo. CV3—3K 21
Doncaster Clo. CV2—1F 17
Donegal Clo. CV2—2F 19
Donnington Av. CV6—3E 14
Doone Clo. CV2—2G 17
Dorchester Way. CV2—3H 17
Dormer Harris Av. CV4—7K 13
Dorney Clo. CV5—1K 19
Dorset Rd. CV1—3J 15
Dovecote Clo. CV6—3D 14
Dovedale Av. CV6—5B 10
Dover St. CV1—3B 2 & 5H 15
Downing Cres. CV12—2H 5
Downton Clo. CV2—7J 11
Dowty Av. CV12—5C 4
Doyle Dri. CV6—4B 10
Drake St. CV6—1K 15
Draper Clo. CV8—4K 23
Draper's Fields. CV1—1E 2 & 4J 15
Draycott Rd. CV2—1D 16
Drayton Cres. CV5—3H 13
Drayton Rd. CV12—4J 5
Drew Cres. CV8—4H 17
Drive, The. CV2—5F 17
Dronfield Rd. CV2—5D 16
Droylsdon Pk. Rd. CV3—6C 20
Druid Rd. CV2—5D 16
Drummond Clo. CV6—1F 15
Dudley Rd. CV8—6F 23
Dudley St. CV6—6C 10
Dugdale Rd. CV6—2G 15
Duggins La. CV7—1A 18
Duke Barn Field. CV2—3C 16
Duke St. CV5—6F 15
Dulverton Av. CV5—3D 14
Dunchurch Highway. CV5—2A 14
Duncroft Av. CV6—1F 15
Dunhill Av. CV4—5J 13
Dunrose Clo. CV2—6G 17
Dunsmore Av. CV3—3K 21
Dunster Pl. CV6—4K 9
Dunsville Dri. CV2—7H 11
Dunvegan Clo. CV3—6J 17
Dunvegan Clo. CV8—4K 23
Durbar Av. CV6—7K 9
Durham Clo. CV7—3F 9
Durham Cres. CV5—1A 14
Dutton Rd. CV2—4F 11
Dymond Rd. CV6—4J 9
Dysart Clo. CV1—1H 3 & 4A 16
Dyson St. CV4—5J 13

Eacott Clo. CV6—4G 9
Eagle La. CV8—5G 23
Eagle St. CV1—3K 15
Eagle St. E. CV1—3K 15
Earl's Croft, The. CV3—2E 20
Earlsdon Av. N. CV5—6F 15
Earlsdon Av. S. CV5—7G 15
Earlsdon St. CV5—1A 20
Earl St. CV1—4F 3 & 6K 15
Earl St. CV12—4H 5

Easedale Clo. CV3—3C 20
East Av. CV2—5C 16
East Av. CV12—4J 5
Eastbourne Clo. CV6—2E 14
Eastcotes. CV4—7B 14
Eastern Grn. Rd. CV5—5K 13
Eastlands Gro. CV5—4E 14
Eastleigh Av. CV5—2A 20
East St. CV1—3J 3 & 5A 16
Eaton Rd. CV1—6D 2 & 7J 15
Eaves Grn. La. CV7—6C 6
Ebbw Vale Ter. CV3—2E 20
Ebourne Clo. CV8—4H 23
Ebro Cres. CV3—7H 17
Eburne Rd. CV2—4D 10
Eccles Clo. CV2—7E 10
Eddie Miller Ct. CV12—4G 5
Eden Croft. CV8—4J 23
Eden St. CV6—1B 16
Edgefield Rd. CV2—7J 11
Edgehill Pl. CV4—7G 13
Edgwick Rd. CV6—1B 16
Edingale Rd. CV2—6H 11
Edmund Rd. CV1—3K 15
Edward Baily Clo. CV3—2B 22
Edward Rd. CV6—4G 9
Edward Rd. CV12—3H 5
Edwards Gro. CV8—3K 23
Edward St. CV6—3A 16
Edward Tyler Rd. CV7—5F 5
Edyth Rd. CV2—4G 17
Elderberry Way. CV2—2D 16
Eld Rd. CV6—1A 16
Elgar Rd. CV6—7D 10
Elizabeth Way. CV3—3F 23
Elkington St. CV6—7B 10
Ellacombe Rd. CV2—7F 11
Ellesmere Rd. CV12—4F 5
Ellys Rd. CV1—3J 15
Elmbank Rd. CV8—2F 23
Elmdene Rd. CV8—4J 23
Elmhurst Rd. CV6—3C 10
Elmore Clo. CV3—1A 22
Elmsdale Av. CV6—5A 10
Elms, The. CV12—4D 4
Elm Tree Av. CV4—6A 14
Elm Tree Rd. CV12—3C 4
Elmwood Av. CV6—3F 15
Elphin Clo. CV6—4G 9
Eltham Rd. CV3—2F 21
Elwy Circle. CV7—1H 9
Ely Clo. CV2—2J 17
Emerson Rd. CV2—5E 16
Emery Clo. CV2—1G 17
Empire Rd. CV4—6J 13
Emscote Rd. CV3—6E 16
Ena Rd. CV1—3K 15
Endemere Rd. CV6—7K 9 & 1K 15
Enfield Rd. CV2—5D 16
Engleton Rd. CV6—2G 15
Ennerdale La. CV2—4H 17
Ensign Clo. CV4—7H 13
Epsom Clo. CV12—2G 5
Erica Av. CV12—4E 4
Eric Gray Clo. CV2—3C 16
Erithway Rd. CV3—5C 20
Ernest Richards Rd. CV12—2G 5
Ernsford Av. CV3—7D 16
Esher Dri. CV3—2F 21
Eskdale Wlk. CV3—2A 22
Essex Clo. CV5—5B 14
Essex Clo. CV8—6F 23
Esterton Clo. CV6—5J 9
Ethelfield Rd. CV2—5D 16
Ettington Rd. CV5—5A 14
Eustace Rd. CV12—3C 4
Euston Cres. CV3—2K 21
Evelyn Av. CV6—5A 10
Evenlode Cres. CV6—3F 15
Everdon Rd. CV6—5J 9
Eversleigh Rd. CV6—1E 14
Evesham Wlk. CV4—4J 19
Exeter Clo. CV3—1A 22
Exeter Ho. CV12—4B 4
Exhall Grn. CV7—7E 4
Exhall Rd. CV7—1F 9
Exminster Rd. CV3—4F 21
Exmouth Clo. CV2—1E 16
Exton Clo. CV7—1J 9

Fabian Clo. CV3—2A 22
Fairbanks Clo. CV2—1J 17
Fairbourne Way. CV6—7E 8
Faircroft. CV8—5G 23
Fairfax St. CV1—3F 3 & 5K 15
Fairfield. CV7—5F 5
Fairfield Rise. CV7—6A 6
Fairlands Pk. CV4—4K 19
Fairmile Clo. CV3—1K 21
Fairways Clo. CV5—2A 14
Falcon Av. CV3—1C 22

Falkland Clo. CV4—2C 18
Falstaff Rd. CV4—6J 13
Fancott Dri. CV8—2G 23
Farber Rd. CV2—2J 17
Farcroft Av. CV5—4H 13
Far Gosford St. CV1—4J 3 & 6A 16
Farman Rd. CV5—6F 15
Farm Clo. CV6—4H 9
Farmcote Rd. CV2—3D 10
Farmer Ward Rd. CV4—5H 23
Farm Rd. CV8—6F 23
Farmside. CV3—4A 22
Farmstead, The. CV3—1K 21
Farndale Av. CV6—4K 9
Farndon Clo. CV12—1A 4
Farr Dri. CV4—6B 14
Farren Rd. CV2—3F 17
Faseman Av. CV4—5K 13
Faulconbridge Av. CV5—4J 13
Fawley Clo. CV3—3A 22
Faygate Clo. CV3—5J 17
Featherbed La. CV4—4F 19
Felton Clo. CV2—6G 11
Fenside Av. CV3—5E 20
Fern Clo. CV2—5D 10
Ferndale Dri. CV8—6H 23
Ferndown Clo. CV4—5K 13
Fernhill Clo. CV8—2F 23
Ferrers Clo. CV4—6K 13
Fetherston Cres. CV8—7D 22
Field Clo. CV8—3J 23
Fieldgate La. CV8—2F 23
Fieldgate Lawn. CV8—2G 23
Fielding Clo. CV2—1J 17
Field March. CV3—3B 22
Fieldside Clo. CV3—5H 17
Field View Clo. CV7—6F 5
Fife Rd. CV5—6F 15
Fillongley Rd. CV7—6A to 3D 6
Finch Clo. CV5—5J 9
Findon Clo. CV12—1B 4
Fingal Clo. CV3—3K 21
Fingest Clo. CV5—4B 14
Finham Cres. CV8—2J 23
Finham Flats. CV8—2J 23
Finham Grn. Rd. CV3—6C 20
Finham Rd. CV3—6D 20
Finham Rd. CV8—2J 23
Finnemore Rd. CV3—4C 20
Fir Gro. CV4—6A 14
Firleigh Rd. CV12—2C 4
Firs Est. CV5—1C 20
First Av. CV3—7E 16
Firs, The. CV5—1C 20
Firs, The. CV12—4D 4
Fir Tree Av. CV4—6A 14
Fisher Rd. CV6—7A 10
Fishponds Rd. CV8—5F 23
Fitzroy Clo. CV2—2K 17
Fivefield Rd. CV7—2D 8
Flamborough Clo. CV3—1C 22
Flaunden Clo. CV3—4B 14
Flavell St. CV6—3B 16
Flecknose St. CV3—3K 21
Fleet St. CV1—3D 2 & 5J 15
Fletchamstead Highway. CV4
—6C 14 to 3K 19
Florence Clo. CV12—6E 4
Flowerdale Dri. CV2—2D 16
Flude Rd. CV7—1J 9
Flynt Av. CV5—2A 14
Foleshill Rd. CV1 & CV6—4J 15 to 5B 10
Folkland Grn. CV6—1F 15
Fontmell Clo. CV2—4J 17
Ford St. CV1—2G 3 & 5K 15
Fordwell Clo. CV5—5F 15
Foreland Way. CV6—4G 9
Foresters Rd. CV3—3F 21
Forest Rd. CV8—4F 23
Forfield Rd. CV6—2E 14
Forge Rd. CV8—2H 23
Forge Way. CV6—4J 9
Forknell Av. CV2—3E 16
Fosseway Rd. CV3—5C 20
Foster Rd. CV6—1G 15
Founder Clo. CV4—1E 18
Four Pounds Av. CV5—5F 15
Fowler Rd. CV6—3H 15
Foxford Cres. CV2—3D 10
Foxglove Clo. CV6—5J 9
Foxton Rd. CV3—7G 17
Framlingham Gro. CV8—2K 23
Frampton Wlk. CV2—3H 17
Frances Cres. CV12—3F 5
Franciscan Rd. CV3—1D 20
Francis Rd. CV8—6F 21
Francis St. CV6—1A 16
Frankland Rd. CV6—6C 10
Franklin Gro. CV4—7J 13
Frankpledge Rd. CV3—2F 21
Frankton Av. CV3—4D 20
Frankwell Dri. CV2—6G 11

Fraser Rd. CV6—6G 9
Frederick Neal Av. CV5—4H 13
Fred Lee Gro. CV3—5E 20
Freeburn Causeway. CV4—2H 19
Freehold St. CV1—3B 16
Freeman Rd. CV6—3B 16
Freeman St. CV6—3B 16
Freshfield Clo. CV5—6C 8
Fretton Clo. CV6—1B 16
Frevill Rd. CV6—7D 10
Friars Rd. CV1—5E 2 & 6J 15
Frilsham Way. CV5—4B 14
Frisby Rd. CV4—6J 13
Frobisher Rd. CV3—4D 20
Frogmore Rd. CV3—5B 14
Frythe Clo. CV8—2K 23
Fuchsia Clo. CV2—5D 10
Fulbrook Rd. CV2—6E 10
Fullers Clo. CV6—1F 15
Furnace Rd. CV12—2J 5
Fynford Rd. CV6—3H 15

Gainford Rise. CV3—5H 17
Gainsborough Dri. CV12—2F 5
Galey's Rd. CV3—1E 20
Gallagher Rd. CV12—4F 5
Galliards, The. CV4—5J 19
Galmington Dri. CV3—3C 20
Gardenia Dri. CV5—2A 14
Gardens, The. CV8—5J 23
Garrick Clo. CV5—4G 13
Garth Cres. CV3—1K 21
Gaveston Rd. CV6—2E 14
Gaydon Clo. CV6—7C 10
Gayer St. CV6—6C 10
Gayhurst Clo. CV3—1B 22
Gaza Clo. CV4—7A 14
Geoffry Clo. CV2—3D 16
George Eliot. CV12—4J 5
George Eliot Rd. CV1—3K 15
George Marston Rd. CV3—7G 17
George Robertson Clo. CV3—2B 22
George St. CV1—3K 15
George St. CV12—3G 5
George St. Ringway. CV12—3G 5
Gerard Av. CV4—1G 19
Gibbet Hill Rd. CV4—4G 19
Gibbons Clo. CV4—6K 13
Gibbs Clo. CV2—1K 17
Gibson Cres. CV12—5F 5
Gilbert Clo. CV1—2J 3 & 5A 16
Giles Clo. CV6—5J 9
Gillian's Wlk. CV2—7J 11
Girdlers Clo. CV3—4C 20
Girton Clo. CV3—3K 21
Glade, The. CV5—5K 13
Glaisdale Av. CV6—4A 10
Glamorgan Clo. CV3—4A 22
Glasshouse La. CV8—3K & 5J 23
Glebe Av. CV12—5D 4
Glebe Clo. CV4—2F 19
Glebe Cres. CV8—5H 23
Glebe Farm Gro. CV3—5H 17
Glebe, The. CV7—1B 8
Glencoe Rd. CV3—6D 16
Glendale Av. CV8—2H 23
Glendon Gdns. CV12—1B 4
Glendower Av. CV5—6D 14
Gleneagles Rd. CV2—2G 17
Glenmore Dri. CV6—2B 10
Glenmount Av. CV6—2B 10
Glenn St. CV6—4K 9
Glenridding Clo. CV6—2B 10
Glenrosa Wlk. CV4—2F 19
Glenroy Clo. CV2—2G 17
Glentworth Av. CV6—5G 9
Glenwood Gdns. CV12—2F 5
Gloucester St. CV1—3B 2 & 5H 15
Glovers Clo. CV7—6A 6
Glover St. CV1—1E 20
Godiva Pl. CV1—3H 3 & 5A 16
Goldenacres La. CV3—2C 22
Goldthorn Clo. CV5—4H 13
Goode Croft. CV4—5K 13
Goodman Way. CV4—7G 13
Goodyers End La. CV12—6B 4
Gordon Clo. CV12—2G 5
Gordon St. CV1—6A 2 & 7G 15
Goring Rd. CV2—4C 16
Gorseway. CV5—5C 14
Gosford St. CV1—4G 3 & 6K 15
Gospel Oak Rd. CV6—3H 9
Grace Rd. CV5—7E 6
Grafton St. CV1—4J 3 & 6A 16
Graham Clo. CV6—6C 10
Graigends Av. CV3—3C 22
Granborough Clo. CV3—1C 22
Grange Av. CV3—2C 22
Grange Av. CV3—2C 22
(Binley)

Grange Av. CV3—6D 20
(Coventry)
Grange Av. CV8—2F 23
Grangemouth Rd. CV6—2H 15
Grange Rd. CV6—3C 10
Granoe Clo. CV3—1B 22
Grantham St. CV2—5B 16
Grant Rd. CV8—6D 16
Grant Rd. CV7—6F 5
Grapes Clo. CV6—3H 15
Grasmere Av. CV3—3A 20
Grasmere Rd. CV12—4G 5
Grasscroft Dri. CV3—3F 21
Gratton Ct. CV3—3A 20
Gravel Hill. CV4—7J 13
Graylands, The. CV3—5D 20
Grayswood Av. CV5—4D 14
Greendale Rd. CV5—5A 8
Green Field, The. CV3—1J 21
Green La. CV3—3B 20
Green La. CV7—1H 7
Greenleaf Clo. CV5—4K 13
Greenodd Dri. CV6—2B 10
Greensleaves Clo. CV6—5H 9
Green's Rd. CV6—6G 9
Greensward Clo. CV8—2J 23
Greensward, The. CV3—6J 17
Greens Yd. CV12—3G 5
Gregory Av. CV3—3B 20
Gregory Hood Rd. CV3—4E 20
Grendon Clo. CV4—7G 13
Grenville Av. CV2—5D 16
Gresham St. CV2—6C 16
Gresley Rd. CV2—1F 17
Greswold Clo. CV4—7K 13
Gretna Rd. CV3—5A 20
Greville Rd. CV8—4F 23
Greycoat Rd. CV6—5G 9
Greyfriars La. CV1—4E 2 & 6J 15
Greyfriars Rd. CV1—5D 2 & 6J 15
Grindle Rd. CV6—7B 10
Grizebeck Dri. CV5—3A 14
Grosvenor Link Rd. CV1—6C 2 & 7H 15
Grosvenor Rd. CV1—6C 2 & 7H 15
Grove St. CV1—4G 3 & 6K 15
Grove, The. CV3—3G 5
Guard-house Rd. CV6—7H 9
Guild Rd. CV6—1K 15
Guilsborough Rd. CV3—1B 22
Gulson Rd. CV1—5H 3 & 6A 16
Gun La. CV2—3C 16
Gunton Av. CV3—3K 21
Guphill Av. CV5—5D 14
Gurney Clo. CV4—5J 13
Gutteridge Av. CV6—5G 9
Guy Rd. CV8—6G 23
Gypsy La. CV8—7G 23

Haddon End. CV3—3F 21
Haddon St. CV6—7C 10
Hadleigh Rd. CV3—6D 20
Hales St. CV1—2E 2 & 5J 15
Halford La. CV6—6G 9
Halifax Clo. CV5—1A 14
Hallam Rd. CV6—4H 9
Hallbrook Rd. CV6—3G 9
Hall Grn. Rd. CV6—5D 10
Hall Hill La. CV7—2D 8
Hall La. CV2—2H 17
Hamilton Clo. CV12—5B 4
Hamilton Rd. CV2—5C 16
Hammond Rd. CV2—4B 16
Hampshire Clo. CV3—1C 22
Hampton Clo. CV6—2B 16
Hampton Rd. CV6—2B 16
Hanbury Rd. CV12—2H 5
Hancock Grn. CV4—1E 18
Handcross Gro. CV3—4B 20
Handley Clo. CV8—7D 22
Handsworth Cres. CV5—4A 13
Hanford Clo. CV6—2A 16
Hanwood Clo. CV5—4H 13
Harborough Rd. CV6—5H 9
Harcourt. CV3—3B 22
Hardwick Clo. CV5—4A 14
Hardy Rd. CV6—1G 15
Harefield Rd. CV2—5D 16
Harewood Rd. CV5—5C 14
Harger Ct. CV8—5G 23
Harington Rd. CV6—3G 15
Harlech Clo. CV8—3K 23
Harley St. CV2—3E 16
Harlow Wlk. CV2—1J 17
Harmer Clo. CV2—1J 17
Harnall La. CV1—4K 15
Harnall La. E. CV1—4K 15 to 4B 16
Harnall La. W. CV1—4K 15
Harnall Row. CV1—3J 3 & 5A 16
Harold Rd. CV2—6C 16
Harpenden Dri. CV5—3A 14
Harper Rd. CV1—5J 3 & 6A 16

Harrison Cres. CV12—4F 5
Harris Rd. LV3—6D 16
Harry Rose Rd. CV2—5G 17
Harry Truslove Clo. CV6—1G 15
Hartington Cres. CV5—7F 15
Hartland Av. CV2—2D 16
Hartlepool Rd. CV1—4A 16
Hartridge Wlk. CV5—4B 14
Harvesters Clo. CV3—6J 17
Harvest Hill La. CV5—3E 6 to 5J 7
Harvey Clo. CV5—1A 14
Haselbech Rd. CV3—7H 17
Haseley Rd. CV2—6E 10
Hasilwood Sq. CV3—6D 16
Hastings Rd. CV2—4C 16
Hathaway Rd. CV4—7H 13
Hawkesbury La. CV2—3E 10
Hawkes Mill La. CV5—5A 8
Hawkesworth Dri. CV8—2H 23
Hawkins Rd. CV5—6G 15
Hawthorne Clo. CV4—7J 13
Hawthorne La. CV4—6J & 5J 13
(in two parts)
Hayes Grn. Rd. CV12—5E 4
Hayes La. CV7—6E 4
Hay La. CV1—4F 3 & 6K 15
Haynestone Rd. CV6—2E 14
Hayton Grn. CV4—1E 18
Haytor Rise. CV2—1E 16
Haywards Grn. CV6—1G 15
Hazel Gro. CV12—3J 5
Hazel Rd. CV6—6D 10
Hazlemere Clo. CV5—4B 14
Headborough Rd. CV2—3C 16
Headington Av. CV6—5G 9
Headlands, The. CV5—4D 14
Hearsall Common. CV5—6E 14
Hearsall La. CV5—6F 15
Heath Av. CV12—5D 4
Heathcote St. CV6—2G 15
Heath Cres. CV2—3C 16
Heather Dri. CV12—4D 4
Heather Rd. CV2—5D 10
Heathfield Rd. CV5—6C 14
Heath Rd. CV2—4B 16
Heath Rd. CV2—5E 4
(in two parts)
Heckley Rd. CV7—7F 5
Heddle Gro. CV6—7D 10
Helen St. CV6—2B 16
Hele Rd. CV3—3E 20
Hemingford Rd. CV2—7H 11
Hemsby Av. CV2—2F 19
Hemsworth Dri. CV12—2A 4
Henderson Clo. CV5—1C 14
Hendre Clo. CV5—6C 14
Hen La. CV6—4J 9
Henley Mill La. CV2—1E 16
Henley Rd. CV2—6D 10 to 1H 17
Henrietta St. CV6—3A 16
Henry Boteler Rd. CV4—2G 19
Henry St. CV1—2E 2 & 5J 15
Henry St. CV3—3H 23
Henson Rd. CV12—5D 4
Herald Way. CV3—2D 22
Herberts La. CV8—3H 23
Hermes Cres. CV2—1F 17
Hermitage Rd. CV2—4E 16
Hermitage Way. CV8—5H 23
Hermits Croft. CV3—1E 20
Herrick Rd. CV2—5F 17
Hertford Pl. CV1—5B 2 & 6H 15
Hertford Precinct. CV1—4E 2 & 6J 15
Heslop Clo. CV3—1C 22
Hewitt Av. CV6—1B 2 & 3H 15
Hexby Clo. CV2—2J 17
Hexworthy Av. CV3—4C 20
Heybrook Clo. CV2—1E 16
Heycroft. CV4—5J 19
Heyville Croft. CV8—5K 23
Hibberd Ct. CV8—4G 23
Hidcote Rd. CV8—2K 23
High Beech. CV5—2A 14
Highfield. CV6—4A 6
Highfield Clo. CV8—4F 23
Highfield Rd. CV2—4B 16
Highland Rd. CV5—7F 15
Highland Rd. CV8—1J 23
High Pk. Clo. CV5—5K 13
High St. CV1—4E 2 & 6J 15
High St. Bedworth, CV12—4G 5
High St. Kenilworth, CV8—3F 23
High St. Keresley, CV6—6F 9
High St. Ryton on Dunsmore, CV8
—7E 22
High View Dri. CV7—7B 4
Highwayman's Croft. CV4—4J 19
Hilary Rd. CV4—2H 19
Hillfray Dri. CV3—4H 21
Hilliard Clo. CV12—2F 5
Hillmorton Rd. CV2—5E 10
Hill Rd. CV7—1F 9

Hillside. CV2—2C 16
Hillside Nth. CV2—2C 16
Hill St. CV1—3C 2 & 5H 15
Hill St. CV12—1G 5
Hill Top. CV1—3F 3 & 5K 15
Himley Rd. CV12—4C 4
Hinckley Rd. CV2—1J 17
Hipswell Highway. CV2—4F to 6F 17
Hiron Croft. CV3—1D 20
Hiron, The. CV3—1D 20
Hob La. CV8—6A 18
Hockett St. CV1—1E 20
Hocking Rd. CV2—3F 17
Hockley La. CV6—4G 13
Hodgetts La. CV7—3A 18
Hodnet Clo. CV8—3J 23
Hogarth Clo. CV12—2F 5
Holbein Clo. CV12—2F 5
Holborn Av. CV6—5J 9
Holbrook La. CV6—4J 9
Holland Rd. CV6—2G 15
Hollicombe Ter. CV2—7F 11
Hollis La. CV8—1F 23
Hollis Rd. CV3—6C 16
Holloway Field. CV6—2F 15
Hollow Cres. CV6—3H 15
Hollybush La. CV6—3C 10
Hollyfast La. CV7—3B 8
Hollyfast Rd. CV6—1E 14
Holly Gro. CV4—6B 14
Holly Wlk. CV8—7F 21
Holmcroft. CV2—7H 11
Holmes Dri. CV5—3H 13
Holmewood Clo. CV8—3J 23
Holmfield Rd. CV2—5D 16
Holmsdale Rd. CV6—1A 16
Holyhead Rd. CV1 & CV5—2A 2 & 3D 14
Holyoak Clo. CV12—5E 4
Honeybourne Clo. CV5—5B 14
Honeyfield Rd. CV1—3K 15
Honeysuckle Dri. CV2—5D 10
Honiley Way. CV2—6F 11
Honiton Rd. CV2—3D 16
Hood St. CV1—3H 3 & 5A 16
Hopedale Clo. CV2—5G 17
Hope St. CV1—4B 2 & 6H 15
Hopkins Rd. CV6—4G 15
Hopton Clo. CV5—4A 14
Hornchurch Clo. CV1—7E 2 & 7J 15
Horninghold Clo. CV3—1B 22
Hornsey Clo. CV2—1G 17
Horobins Yd. CV12—1G 5
Horse Shoe La. CV6—3C 10
Horsford Rd. CV3—3E 20
Hosiery St. CV12—4H 5
Hospital La. CV12—5A 4
Hotchkiss Way. CV3—2D 22
Hothorpe Clo. CV3—7H 17
Houldsworth Cres. CV6—3J 9
Hove Av. CV5—4J 13
Hovelands Clo. CV2—7E 10
Howard Clo. CV5—4J 13
Howard St. CV1—4K 15
Howat Rd. CV7—1F 9
Howcotte Grn. CV4—2D 18
Howells Clo. CV12—5C 4
Howes La. CV3—7D 20
Howlette Rd. CV4—6J 13
Hugh Rd. CV3—6C 16
Humber Av. CV1—6J 3 & 7A 16
Humber Av. CV3—6B 16
Humber Rd. CV3—7A 16
Humberside Rd. CV6—3G 15
Humphrey Burton's Rd. CV3—1D 20
Humphrey-Davy Rd. CV12—6C 4
Hunters Clo. CV3—3J 21
Huntingdon Rd. CV5—7A 2 & 1B 20
Hunt Ter. CV4—2G 19
Hurn Way. CV2—3D 10
Hurst Rd. CV6—3C 10
Hurst Rd. CV12—3G 5
Hyde Rd. CV2—4G 17
Hyde Rd. CV8—3G 23

Ibex Clo. CV3—7H 17
Ibstock Rd. CV6—2C 10
Ilam Pk. CV8—3K 23
Ilford Clo. CV12—3F 5
Ilford Dri. CV3—4C 20
Ilfracombe Gro. CV3—4B 20
Ilmington Clo. CV3—4C 20
Inca Clo. CV3—1C 22
Inchbrook Clo. CV8—1K 23
Ingram Rd. CV1—1J 19
Innis Rd. CV5—1K 19
Instone Rd. CV6—6G 9
Inveraray Clo. CV8—4K 23
Inverness Clo. CV5—4A 14
Invicta Rd. CV3—1C 22
Ireton Clo. CV4—7G 13
Ironmonger Row. CV1—3E 2 & 5J 15

Irving Rd. CV1—5J 3 & 6A 16
Ivor Rd. CV6—5B 10
Ivybridge Rd. CV3—3E 20
Ivy Farm La. CV4—3J 19

Jacker's Rd. CV2—3D 10
Jacklin Dri. CV3—5D 20
Jackson Clo. CV7—1G 9
Jackson Rd. CV6—6K 9
Jacox Cres. CV8—3K 23
James Croft. CV3—3B 22
James Dawson Dri. CV5—7F 7
James Galloway Clo. CV3—2B 22
James Grn. Rd. CV4—6K 13
Jaquard Clo. CV3—3A 22
Jardine Cres. CV4—6K 13
Jasmine Gro. CV3—1K 21
Jedburgh Gro. CV3—5B 20
Jeffrey Clo. CV12—6C 4
Jeliff St. CV4—6K 13
Jenkins Av. CV5—4K 13
Jenner St. CV1—4K 15
Jesmond Rd. CV1—4B 16
Jim Forrest Clo. CV3—1C 22
Joanna Dri. CV3—6D 20
Joan Ward St. CV3—1E 20
Job's La. CV4—5A 14
Joe Williams Clo. CV3—1C 22
John Grace St. CV3—1E 20
John Knight Rd. CV12—2G 5
John McGuire Cres. CV3—2B 22
John Nash Sq. CV8—5G 23
John O' Gaunt Rd. CV8—5F 23
John Rows Av. CV4—2G 19
Johnson Rd. CV6—7C 10
Johnson Rd. CV12—3H 5
John St. CV12—4F 5
Jonathan Rd. CV2—7H 11
Jones Rd. CV7—5F 5
Jordan Clo. CV8—6J 23
Jordans Clo. CV5—4C 14
Jordan Well. CV1—4F 3 & 6K 15
Joseph Creighton Clo. CV3—2B 22
Joseph Luckman Rd. CV12—2F 5
Jubilee Cres. CV6—7H 9
Jubilee Ter. CV12—2G 5
Judd's La. CV6—3A 10
Judo Clo. CV12—3E 4
Julian Clo. CV2—7H 11
Junction St. CV1—5C 2 & 6H 15
Juniper Dri. CV5—3K 13

Kanzan Rd. CV2—3D 10
Karlingford Clo. CV5—1J 19
Kathleen Av. CV12—5D 4
Keats Rd. CV2—6F 17
Kebull Grn. CV4—1D 18
Keeling Rd. CV8—2G 23
Keenan Dri. CV12—5C 4
Kegworth Clo. CV6—3C 10
Kele Rd. CV4—2E 18
Kelmscote Rd. CV6—7F 9
Kelvin Av. CV2—3F 17
Kempley Av. CV2—5E 16
Kendal Rise. CV5—4C 14
Kendon Av. CV6—2E 14
Kendrick Clo. CV6—3C 10
Kenilworth By-Pass. CV3—7C 20
Kenilworth By-Pass. CV8—7J 23
Kenilworth Ct. CV3—1D 20
Kenilworth M. CV8—3G 23
Kenilworth Rd. CV4 & CV3 —6J 19 to 1C 20
Kenilworth Rd. CV8—1J 23
Kennet Clo. CV2—7E 10
Kenpas Highway. CV3—3A to 5C 20
Kensington Rd. CV5—7F 15
Kent Clo. CV3—3F 21
Kenthurst Clo. CV5—4G 13
Kentmere Clo. CV2—5G 11
Kenwyn Gdns. CV7—6G 5
Keppel St. CV1—3A 16
Keresley Brook Rd. CV6—5F 9
Keresley Clo. CV6—5G 9
Keresley Grn. Rd. CV6—6F 9
Keresley Rd. CV6—7F 9
Kestrel Croft. CV3—1C 22
Keswick Wlk. CV2—4H 17
Keviliok St. CV3—3E 20
Kew Clo. CV8—3K 23
Kilburn Dri. CV5—5F 15
Kildale Clo. CV1—2H 3 & 5A 16
Kimberley Clo. CV5—4K 13
Kimberley Rd. CV8—7F 21
Kimberley Rd. CV12—2H 5
Kimble Clo. CV5—4B 14
Kineton Rd. CV2—2E 16
Kineton Rd. CV8—4J 23
King Edward Rd. CV1—1J 3 & 4A 16
Kingfield Rd. CV6—2K 15

King George's Av. CV6—5A 10
King Georges Av. CV12—1G 5
King Richard St. CV2—5B 16
Kingsbridge Ho. CV12—5C 4
Kingsbury Rd. CV6—2D 14
Kingscote Gro. CV3—5B 20
King's Gdns. CV12—4H 5
Kings Gro. CV2—5D 16
King's Hill La. CV3—7C 20
Kingsland Av. CV5—6F 15
Kingsley Cres. CV12—1A 4
Kingsley Ter. CV2—7G 11
Kingston Rd. CV5—6F 15
King St. CV12—4F 5
Kingsway. CV2—5C 16
King William St. CV1—1H 3 & 4A 16
Kintyre, The. CV2—1K 17
Kinver Clo. CV2—6G 11
Kinwalsey La. CV7—1D 6
Kipling Rd. CV6—7G 9
Kirby Clo. CV1—2K 15
Kirby Cres. CV4—3H 19
Kirby Rd. CV5—6F 15
Kirkdale Av. CV6—4K 9
Kirkstone Rd. CV12—4F 5
Kittermaster Rd. CV7—6A 6
Knight Av. CV1—6J 3 & 7A 16
Knightlow Av. CV3—3K 21
Knightlow Clo. CV8—5K 23
Knightsbridge Av. CV12—1H 5
Knoll Croft. CV3—3D 20
Knoll Dri. CV3—3D 20
Knowle Hill. CV8—2K 23

Laburnum Av. CV6—3F 15
Laburnum Av. CV8—5H 23
Ladbrook Rd. CV5—4A 14
Lady La. CV6—3B 10
Lady La. CV8—4G 23
Lady Warwick Av. CV12—4H 5
Lakeside. CV12—4F 5
Lake View Rd. CV5—4E 14
Lambeth Clo. CV2—1G 17
Lambourne Clo. CV5—4A 14
Lamb St. CV1—2D 2 & 5J 15
Lammas Rd. CV6—4F 15
Lammerton Clo. CV2—2E 16
Lana Clo. CV2—3D 10
Lancaster Pl. CV8—6F 23
Lanchester Rd. CV6—2H 15
Lancing Rd. CV12—1B 4
Lane Side. CV3—3B 22
Langbank Av. CV3—1K 21
Langdale Av. CV6—4K 9
Langley Croft. CV4—5A 14
Langlodge Rd. CV6—5H 9
Langton Clo. CV3—1B 22
Langwood Clo. CV4—2G 19
Lansbury Clo. CV2—1G 17
Lansdowne Clo. CV12—3F 5
Lansdowne St. CV2—3K 3 & 5B 16
Lant Clo. CV7—1A 18
Lapworth Rd. CV2—5E 10
Larches, The. CV7—5F 5
Larch Tree Av. CV4—5A 14
Larchwood Rd. CV7—6G 5
Larkfield Way. CV5—2A 14
Larkin Clo. CV12—2A 4
Latham Rd. CV5—5G 15
Latimer Clo. CV8—6F 23
Lauderdale Av. CV6—4K 9
Laurel Clo. CV2—5G 11
Lavender Av. CV6—3E 14
Lavender Hall La. CV7—7A 12
Lawford Clo. CV3—7G 17
Lawley Clo. CV4—6A 14
Lawrence Rd. CV7—6A 10
Lawrence Saunders Rd. CV6—3G 15
Leacrest Rd. CV6—5G 9
Leafield Gro. CV2—6H 11
Leaf La. CV3—5F 21
Leagh Clo. CV8—1J 23
Leam Grn. CV4—4J 19
Leamington Rd. CV3—2D 20
Leamington Rd. CV8—6H 23
Leas Clo. CV12—3F 5
Leasowes Av. CV3—5A 20
Leeder Clo. CV6—5J 9
Leeming Clo. CV4—4H 19
Lee, The. CV5—4C 14
Le Hanche Clo. CV7—1G 9
Leicester Causeway. CV1—4K 15
Leicester Ct. CV12—2B 4
Leicester Rd. CV7—7J 11
Leicester Rd. CV12—2G 5
Leicester Row. CV1—1E 2 & 4J 15
Leicester St. CV12—3G 5 (Bedworth)
Leicester St. CV12—2B 4 (Bulkington)

Leigh Av. CV3—6D 20
Leigh St. CV1—1J 3 & 4A 16
Leighton Clo. CV4—7J 19
Lennox Clo. CV3—3B 22
Lenton's La. CV2—3F 11
Leofric St. CV6—3G 15
Leopold Rd. CV1—4B 16
Lesingham Dri. CV4—7J 13
Letchlade Clo. CV2—7E 10
Leven Way. CV2—7J 11
Lewis Rd. CV1—3K 15
Leyburn Clo. CV6—4K 9
Leycester Rd. CV8—6H 23
Leyes La. CV8—3J 23
Leyland Rd. CV5—4D 14
Leyland Rd. CV12—2A 4
Leyside. CV3—3B 22
Leys La. CV7—6A 6
Lichen Grn. CV4—4J 19
Lichfield Rd. CV3—1E 20
Lifford Way. CV3—2D 22
Light La. CV1—1D 2 & 4J 15
Lilac Av. CV6—3F 15
Lilac Rd. CV12—1J 5
Lilley Clo. CV6—5J 9
Lillington Rd. CV2—6F 11
Limbrick Av. CV4—7K 13
Lime Gro. CV4—6B 14
Lime Gro. CV8—4H 23
Limes, The. CV12—4D 4
Lime Tree Av. CV4—6A 14
Linaker Rd. CV3—4K 21
Lincoln St. CV1—4K 15
Lincroft Cres. CV5—4D 14
Lindfield, The. CV3—1K 21
Lindisfarne Dri. CV8—4J 23
Lindley Rd. CV3—6D 16
Lindley Rd. CV12—4C 4
Lindsey Cres. CV8—7B 23
Links Rd. CV6—7G 9
Linnet Clo. CV3—4A 22
Linstock Way. CV2—3D 10
Linwood Dri. CV2—6H 11
Lion Fields Av. CV5—2B 14
Lismore Croft. CV2—1K 17
Little Farm. CV3—3A 22
Little Field. CV3—2A 22
Lit. Park St. CV1—4F 3 & 6K 15
Littlethorpe. CV3—3A 22
Livingstone Rd. CV6—1K 15
Lloyd Cres. CV2—5G 17
Loach Dri. CV2—3D 10
Locke Clo. CV6—6G 9
Lockhart Clo. CV8—4H 23
Lockhurst La. CV6—7K 9
Loder Clo. CV4—5K 13
Lodge Grn. La. CV7—4C 6
Lodge Grn. La. N. CV7—4C 6
Lodge Rd. CV3—7D 16
Logan Rd. CV2—1G 17
Lollard Croft. CV3—1E 20
London Rd. CV1 & CV3—6H 3 to 2H 21
London Rd. CV3 & CV8—3J 21 to 7E 22
Lonford Sq. CV6—3B 10
Long Clo. Av. CV5—2B 14
Longfellow Rd. CV2—5E 16
Longford Rd. CV6—4B 10
Longford Rd. CV7—1C 10
Long La. CV5—5D 8
Long St. CV12—2C 4
Lonscale Dri. CV3—4C 20
Lord Lytton Av. CV2—6F 17
Lord St. CV5—6F 15
Lorenzo Clo. CV3—3A 22
Loudon Av. CV6—3G 15
Love La. CV8—2G 23
Lovell Rd. CV12—3F 5
Lower Church St. CV1—4K 15
Lwr. Eastern Grn. La. CV5—4K 13
Lower Ford St. CV1—3H 3 & 5A 16
Lwr. Holyhead Rd. CV1—3C 2 & 5H 15
Lwr. Ladyes Hill. CV8—2H 23
Lower Precinct. CV1—3D 2 & 5J 15
Lower Rd. CV7—1K 11
Loweswater Rd. CV3—7G 17
Lowry Clo. CV12—2F 5
Lowther St. CV2—4B 16
Loxley Clo. CV2—5F 11
Lucian Clo. CV2—1K 17
Ludlow Rd. CV5—6G 15
Luff Clo. CV3—1J 21
Lulworth Clo. CV2—4J 17
Lumsden Clo. CV2—7H 11
Lunar Clo. CV4—4J 19
Lunn Av. CV8—5F 23
Lupton Av. CV3—2D 20
Luscombe Clo. CV2—7G 11
Luther Way. CV5—4K 13
Lutterworth Rd. CV2—3E 16
Luxor La. CV5—7F 7
Lydford Clo. CV2—1E 16

Lydgate Ct. CV12—2F 5
Lydgate Rd. CV6—3H 15
Lymesy St. CV3—3E 20
Lymore Croft. CV2—7J 11
Lynbrook Rd. CV5—1J 19
Lynchgate Rd. CV4—3H 19
Lyndale Clo. CV5—5C 14
Lyndale Rd. CV5—5C 14
Lyng Clo. CV5—5A 14
Lynmouth Rd. CV2—7G 11
Lynton Rd. CV6—6B 10
Lysander St. CV3—3A 22
Lythalls La. CV6—5K 9 to 6A 10
  (in two parts)

Macaulay Rd. CV2—4F 17
Macdonald Rd. CV2—5F 17
Macefield Clo. CV2—4F 11
Mackenzie Clo. CV4—1A 14
McMahon Rd. CV12—6D 4
Madeira Croft. CV5—5C 14
Magneto Rd. CV3—7E 16
Magnolia Clo. CV3—4C 20
Maidavale Cres. CV3—4D 20
Main Rd. CV7—6A 6
Malam Clo. CV4—7A 14
Malmesbury Rd. CV6—5G 9
Malthouse La. CV8—1F 23
Malvern Rd. CV5—4E 14
Manderley Clo. CV5—3G 13
Manfield Av. CV2—1J 17
Manor Ho. CV2—1H 17
Manor Ho. Dri. CV1—5E 2 & 6J 15
Manor Rd. CV1—6E 2 & 7J 15
Manor Rd. CV8—2G 23
Manor Ter. CV1—5E 2 & 6J 15
Manse Clo. CV7—5F 5
Mansel St. CV6—7A 10
Mantilla Dri. CV3—4C 20
Maple Av. CV7—5G 5
Maplebeck Clo. CV5—5G 15
Maples, The. CV12—4D 4
Mapleton Rd. CV6—7F 9
March Way. CV3—2A 22
Mardol Clo. CV2—1F 17
Margaret Av. CV12—3F 5
Margeson Clo. CV2—6G 17
Margetts Clo. CV8—4G 23
Marie Brock Clo. CV4—7A 14
Marina Clo. CV4—2D 18
Marion Rd. CV6—1K 15
Market Way. CV1—4D 2 & 6J 15
Marlborough Rd. CV2—6C 16
Marlcroft. CV3—3B 22
Marler Rd. CV4—2E 18
Marlow Clo. CV5—4B 14
Marlston Wlk. CV5—4B 14
Marner Cres. CV6—3H 15
Marner Rd. CV12—3F 5
Marnhull Clo. CV2—4H 17
Marriners La. CV5—3B 14
Marriott Rd. CV6—4G 15
Marriott Rd. CV12—4C 5
Marshall Rd. CV7—6E 4
Marshbrook Clo. CV2—5F 11
Marshdale Av. CV6—4A 10
Marshfield Dri. CV4—7J 19
Marston La. CV2—2G to 1K 5
Martin Clo. CV5—4J 13
Martindale Rd. CV7—6H 5
Martins Rd. CV12—5D 4
Martyrs Clo., The. CV3—1E 20
Mary Herbert St. CV3—3E 20
Mary Slessor St. CV3—3A 22
Marystow Clo. CV5—7B 8
Mason Rd. CV6—6B 10
Masser Rd. CV6—3J 9
Massers Yd. CV3—3C 10
Matlock Rd. CV1—2K 15
Matterson Rd. CV6—3G 15
Maudslay Rd. CV5—6E 14
Maureen Clo. CV4—7G 13
Mavor Dri. CV12—5B 4
Mawnan Clo. CV7—6G 5
Max Rd. CV6—3F 15
Maxstoke Clo. CV7—6A 6
Maxstoke La. CV7—5A 6
Maycock Rd. CV6—1K 15
Mayfield. CV12—3G 5
Mayfield Clo. CV12—3G 5
Mayfield Dri. CV8—4K 23
Mayfield Rd. CV5—7A 2 & 1B 20
Mayflower Dri. CV2—6F 17
Maynard Av. CV12—6C 4
Mayo Dri. CV8—4H 23
Mayor's Croft. CV4—2G 19
May St. CV6—7A 10
Meadfoot Rd. CV3—3A 22
Meadow Clo. CV7—5B 12
Meadow Rd. CV6—3H 9
Meadow St. CV1—4B 2 & 6H 15

Meadway. CV2—2D 16
Meadway Nth. CV2—2D 16
Medina Rd. CV6—6A 10
Medland Av. CV3—4A 20
Melbourne Rd. CV5—6G 15
Melfort Clo. CV3—6H 17
Mellowdew Rd. CV2—4E 16
Mellowship Rd. CV5—3G 13
Melrose Av. CV12—6C 4
Melville Clo. CV7—6F 5
Melville Rd. CV1—3A 2 & 5G 15
Mercer Av. CV2—2B 16
Mercia Av. CV8—4F 23
Meredith Rd. CV2—5F 17
Meriden Rd. CV7—3A 12
Meriden St. CV1—2B 2 & 5H 15
Merrivale Rd. CV5—5E 14
Merryfields Way. CV2—6H 11
Mersey Rd. CV12—2A 4
Merynton Av. CV4—3K 19
Meschede Way. CV1—4F 3 & 6K 15
Meschines St. CV3—3E 20
Mews, The. CV8—5F 23
Michaelmas Rd. CV3—7D 2 & 7J 15
Michell Clo. CV3—1J 21
Mickleton Rd. CV5—1B 20
Middleborough Rd. CV1—2C 2 & 5H 15
Middlecotes. CV4—7B 14
Middlemarch Rd. CV6—2H 15
Middle Ride. CV3—3A 22
Midland Rd. CV6—3A 16
Mile La. CV1—6F 3 & 7K 15
Miles Meadow. CV6—6D 10
Mile Tree La. CV2—1G 11
Milford Clo. CV5—2B 14
Millais Clo. CV12—2F 5
Mill Clo. CV2—4D 10
Mill End. CV8—2H 23
Mill Hill. CV8—6E 20
Mill La. CV3—6H 17
Mill La. CV12—1A 4
Mill Race La. CV6—4C 10
Mill St. CV1—1C 2 & 4H 15
Mill St. CV12—3G 5
Milner Clo. CV12—2C 4
Milner Cres. CV2—6G 11
Milrose Way. CV4—1E 18
Milton St. CV2—3C 16
Milverton Rd. CV2—5E 10
Minster Rd. CV1—3B 2 & 5H 15
Miranda Clo. CV3—2A 22
Mitchell Av. CV4—2F 19
Mitchell Rd. CV12—4H 5
Moat Av. CV3—5A 20
Moat Farm Dri. CV12—6B 4
Moat House Dri. CV6—1B 10
Moat Ho. La. CV4—2H 19
Modbury Clo. CV3—4E 20
Molesworth Av. CV3—7C 16
Momus Boulevd. CV2—6E 16
Monks Croft, The. CV3—2D 20
Monks Rd. CV1—4K 3 & 6B 16
Monkswood Cres. CV2—7F 11
Monmouth Clo. CV5—5B 14
Montalt Rd. CV3—2D 20
Montgomery Clo. CV3—5K 21
Montpellier Clo. CV3—3E 20
Moorfield, The. CV3—1H 21
Moorlands Av. CV8—5G 23
Moor St. CV5—7F 15
Moreal Meadows. CV4—6J 19
Morfa Gdns. CV6—3D 14
Morgans Rd. CV5—4G 13
Morland Clo. CV2—2C 4
Morland Rd. CV6—5J 9
Morningside. CV5—1C 20
Morris Av. CV2—4F 17
Mortimer Rd. CV8—6G 23
Morton Clo. CV6—6G 9
Moseley Av. CV6—4F 15
Moseley Rd. CV8—5J 23
Mossdale Clo. CV6—2G 15
Motorway M6. CV6 & CV7—1B 10
Mottistone Clo. CV3—3E 20
Mountbatten Av. CV8—5K 23
Mount Dri. CV12—3F 5
Mountjoy Clo. CV3—2A 22
Mt. Nod Way. CV5—5A 14
Mt. Pleasant Rd. CV12—3F 5
Mount St. CV5—7F 15
Mount, The. CV3—1E 20
Mowbray St. CV2—5B 16
Moyle Cres. CV5—4J 13
Much Park St. CV1—4F 3 & 6K 15
Mulberry Rd. CV6—2C 16
Mull Cres. CV2—1K 17
Mulliner St. CV6—3B 16
Murray Rd. CV6—1G 15
Mylgrove. CV3—6E 20
Myrtle Gro. CV5—7F 15

Nailcote Av. CV4—7G 13
Nailcote La. CV7—2A 18
Napier St. CV1—3J 3 & 5A 16
Napton Grn. CV5—5A 14
Narberth Way. CV2—1H 17
Naseby Clo. CV3—7H 17
Neal Clo. CV12—3B 4
Neale Av. CV5—2A 14
Nelson St. CV1—1J 3 & 4A 16
Nene Clo. CV3—2A 22
Nethermill Rd. CV6—3G 15
New Ash Dri. CV5—3K 13
Newbold Clo. CV3—7H 17
New Bldgs. CV1—3F 3 & 5K 15
Newby Clo. CV3—3F 21
Newcombe Rd. CV5—7F 15
Newcomen Clo. CV12—6C 4
Newcomen Rd. CV12—5C 4
Newdigate Clo. CV12—3F 5
Newdigate Rd. CV6—3B 16
Newdigate Rd. CV12—2F 5
Newey Av. CV12—6C 4
Newey Rd. CV2—4F 17
Newfield Av. CV8—5J 23
Newfield Rd. CV1—3J 15
Newhall Rd. CV2—1F 17
Newington Clo. CV6—2D 14
Newland La. CV7—4A 4
Newland Rd. CV1—3K 15
Newlyn Ho. CV2—5C 4
Newman Clo. CV12—2G 5
Newmarket Clo. CV3—3D 10
Newnham Rd. CV1—3B 16
Newport Rd. CV6—6K 9
New Rd. CV6—6F 9
New Rd. CV7—1J 9
New St. CV8—2G 23
New St. CV3—4H 5
  (Bedworth)
New St. CV12—2B 4
  (Bulkington)
Newton Clo. CV2—1H 17
Newtown Rd. CV12—4E 4 & 4F 5
  (in two parts)
New Union St. CV1—5D 2 & 6J 15
Nicholls St. CV2—2K 3 & 5B 16
Nickson Rd. CV4—1D 18
Nightingale La. CV5—1J 19
Niven Clo. CV5—2A 14
Nod Rise. CV5—4A 14
Nordic Drift. CV2—1J 17
Norfolk St. CV1—3B 2 & 5H 15
Norman Av. CV2—6H 11
Norman Pl. Rd. CV6—1E 14
North Av. CV2—5C 16
North Av. CV4—5J 5
N. Brook Rd. CV5 & CV6—7D 8
Northey Rd. CV6—7K 9
Northfield Rd. CV1—5J 3 & 6A 16
Northfolk Ter. CV4—2G 19
North St. CV2—3C 16
Northumberland Rd. CV1—3A 2 & 5G 15
Northvale Clo. CV8—2J 23
Norton Hill Dri. CV2—2G 17
Norton St. CV1—2F 3 & 5K 15
Norwich Dri. CV3—4C 20
Norwood Gro. CV2—5G 11
Nova Croft. CV5—4G 13
Nuffield Rd. CV6—7C 10
Nuneaton Rd. CV12—1G 5
  (Bedworth)
Nuneaton Rd. CV12—1B 4
  (Bulkington)
Nunts La. CV6—4H 9
Nunts Pk. Av. CV6—3H 9
Nutbrook Av. CV4—6J 13

Oak Clo. CV12—2H 5
Oakfield Rd. CV6—3F 15
Oakford Dri. CV5—2K 13
Oakham Cres. CV12—6C 4
Oaklands, The. CV4—6A 14
Oak La. CV5—7G 7 to 5A 8
Oakley Clo. CV6—3B 10
Oakley Ct. CV12—5C 4
Oakmoor Rd. CV6—4C 10
Oak's Pl. CV6—4C 10
Oaks Precinct. CV8—6F 23
Oaks Rd. CV8—6F 23
Oaks, The. CV12—4E 4
Oak Tree Av. CV3—3B 20
Oakworth Clo. CV2—7H 11
Oban Rd. CV6—2B 10
Occupation Rd. CV2—5E 16
Oddicombe Croft. CV3—4E 20
Offa Rd. CV8—4H 23
Okehampton Rd. CV3—4F 21
Olaf Pl. CV2—1J 17

Old Church Rd. CV6—6B 10
Old Crown Mews. CV2—3F 11
Oldfield Rd. CV5—5D 14
Oldham Av. CV2—4F 17
Old Meeting Yd. CV12—3G 5
Old Mill Av. CV4—4J 19
Old Rd. CV7—6C 6
Old Winnings Rd. CV7—1F 9
Olive Av. CV2—3F 17
Oliver St. CV6—2B 16
Olton Av. CV5—4K 13
Olympus Clo. CV5—7F 7
Omar Rd. CV2—6F 17
Onley Ter. CV4—2H 19
Orchard Cres. CV3—1D 20
Orchard Dri. CV5—4G 13
Orchard La. CV8—5K 23
Orchard St. CV12—1G 5
Ordnance Rd. CV6—3A 16
Orion Cres. CV2—5G 11
Orkney Clo. CV2—1K 17
Orlescote Rd. CV4—3J 19
Orton Rd. CV6—4J 9
Orwell Rd. CV1—6K 3 & 7B 16
Osbaston Clo. CV5—4J 13
Osborne Rd. CV5—1B 20
Oslo Gdns. CV2—1J 17
Osprey Clo. CV2—1K 17
Oswin Gro. CV2—4E 16
Outermarch Rd. CV6—1J 15
Overdale Rd. CV5—5C 14
Overslade Cres. CV6—1E 14
Over St. CV6—7C 10
Owenford Rd. CV6—7J 9
Ox Clo. CV2—2C 16
Oxendon Way. CV3—7G 17
Oxford Rd. CV8—7C 22
Oxford St. CV1—3J 3 & 5A 16
Oxley Dri. CV3—6D 20

Packington Av. CV5—2B 14
Packwood Grn. CV5—5A 14
Padstow Rd. CV4—1D 18
Page Rd. CV4—2D 18
Paget Ct. CV2—3D 10
Pailton Clo. CV2—7E 10
Pake's Croft. CV6—3G 15
Palermo Av. CV3—3F 21
Palmer La. CV1—3E 2 & 5J 15
Palmerston Rd. CV5—1A 20
Palm Tree Av. CV2—5E 10
Pancras Clo. CV2—6G 11
Pandora Rd. CV2—1G 17
Pangbourne Rd. CV2—7E 10
Pangfield Pk. CV5—4C 14
Papenham Grn. CV4—1E 18
Paradise St. CV1—6G 3 & 7K 15
Parbrook Clo. CV4—1D 18
Park Av. CV6—4J 9
Park Clo. CV8—3J 23
Park Ct. CV5—2B 14
Parkfield Dri. CV8—3J 23
Parkfield Rd. CV7—1H 9
Parkgate Rd. CV6—4H 9
Park Hill. CV8—3H 23
Parkhill Rd. CV5—4K 13
Park Hill La. CV5—3A 14
Parkland Clo. CV6—4J 9
Park La. CV7—7A 12
Park Paling, The. CV3—2F 21
Park Rd. CV1—6E 2 & 7J 15
Park Rd. CV8—2H 23
Park Rd. CV12—4G 5
Park Side. CV1—5F 3 & 6K 15
Parkstone Rd. CV6—5B 10
Park St. CV6—1A 16
Park View. CV7—6F 5
Parkville Clo. CV6—4J 9
Parkville Highway. CV6—4H 9
Parkwood Ct. CV8—3J 23
Park Wood Clo. CV4—2C 18
Parrotts Gro. CV2—2F 11
Parry Rd. CV2—1D 16
Parsons Nook. CV2—3C 16
Partridge Croft. CV6—6C 10
Patricia Clo. CV4—7G 13
Pauline Av. CV6—5D 10
Paxmead Clo. CV6—5H 9
Paxton Rd. CV6—4G 15
Paynell Clo. CV6—5H 9
Paynes La. CV1—2K 3 & 5B 16
Peacock Av. CV2—6H 11
Pears Clo. CV8—3G 23
Pearson Av. CV6—6D 10
Pear Tree Clo. CV2—5D 10
Pebworth Clo. CV5—5B 14
Peel La. CV6—3B 16
Peel St. CV6—2A 16
Pembroke Clo. CV12—5B 4
Pembrook Rd. CV6—5J 9
Pembury Av. CV6—4C 10

Penarth Gro. CV3—2C 22
Pendenis Clo. CV6—7C 10
Penny Pk. La. CV6—4G 9
Penrith Clo. CV6—5J 9
Penrose Clo. CV4—2F 19
Penry Clo. CV8—3K 23
Pensilva Way. CV1—4A 16
Pepper La. CV1—4E 2 & 6J 15
Pepys Corner. CV4—5J 13
Percy Cres. CV8—6F 23
Percy Rd. CV8—6F 23
Percy St. CV1—3B 2 & 5H 15
Peregrine Dri. CV5—3A 14
Perkins St. CV1—2G 3 & 5K 15
Pershore Pl. CV4—3K 19
Perth Rise. CV5—4A 14
Peterlee Wlk. CV2—1J 17
Petitor Cres. CV2—7E 10
Peveril Dri. CV3—4B 20
Peyto Clo. CV6—7E 5
Pickford Grange La. CV5—1G 13
Pickford Grn. La. CV5—3G 13
Pickford Way. CV5—2A 14
Piker's La. CV7—4A 8
Pilkington Rd. CV5—7D 14
Pilling Clo. CV2—7H 11
Pine Tree Av. CV4—6A 14
Pine Tree Rd. CV12—2H 5
Pinewood Gro. CV5—1C 20
Pinley Fields. CV3—1J 21
Pinley Gdns. CV3—1H 21
Pinner's Croft. CV2—3C 16
Pinnock Pl. CV4—7K 13
Pipers La. CV8—4H 23
Plants Hill Cres. CV4—7J 13
Pleydell Clo. CV3—4K 21
Plymouth Clo. CV2—1E 16
Poitiers Rd. CV3—3E 20
Pollards La. CV8—4J 23
Polperro Dri. CV5—3A 14
Pomeroy Clo. CV2—2C 18
Pondthorpe. CV3—3B 22
Pontypool Av. CV3—3C 22
Poole Rd. CV6—2F 15
Poolside Gdns. CV3—4B 20
Poplar Av. CV12—4J 5
Poplar Ho. CV12—4J 5
Poplar Rd. CV5—7F 15
Poplar's Farm CV12—4H 5
Poppyfield Ct. CV4—6J 19
Porchester Clo. CV3—6J 17
Porlock Clo. CV3—4F 21
Porter Clo. CV4—1D 18
Portree Av. CV3—6H 17
Portsea Clo. CV3—3E 20
Portway Clo. CV4—1D 18
Postbridge Rd. CV3—4E 20
Potter's Grn. Rd. CV2—6G 11
Potters Rd. CV12—5D 4
Potts Clo. CV8—4K 23
Poultney Rd. CV6—2G 15
Pound Clo. CV7—5B 12
Powell Rd. CV2—4C 16
Powis Gro. CV3—3K 23
Precinct, The. CV1—3E 2 & 5J 15
Preston Clo. CV4—2E 18
Pridmore Rd. CV6—1K 15
Primrose Hill St. CV1—1G 3 & 4K 15
Prince of Wales Rd. CV5—5E 14
Princess Clo. CV2—3H 21
Princess Dri. CV8—1J 21
Princess St. CV6—1B 16
Princethorpe Way. CV3—2A 22 to 7G 17
Prince William Clo. CV6—2E 14
Prior Deram Wlk. CV4—1G 19
Priorsfield Rd. CV6—4G 15
Priorsfield Rd. N. CV6—4G 15
Priorsfield Rd. S. CV6—4G 15
Priors Harnall. CV1—4A 16
Priory Croft. CV8—4G 23
Priory Rd. CV8—3G 23
Priory Row. CV1—3F 3 & 5K 15
Priory St. CV1—3F 3 & 5K 15
Privet Rd. CV2—5D 10
Proffitt Av. CV6—6C 10
Progress Way. CV3—1D 22
Providence St. CV5—1A 20
Puma Rd. CV1—7G 3 & 7K 15
Purcell Rd. CV6—7D 10
Purefoy Rd. CV3—1E 20
Pyt Pk. CV5—4C 14

Quadrant, The. CV1—5D 2 & 6J 15
Quarryfield La. CV1—6H 3 & 7A 16
Quarry Rd. CV8—2F 23
Quarrywood Gro. CV2—4C 16
Queen Isabel's Av. CV3—1E 20
Queen Margaret's Rd. CV4—1G 19
Queen Mary's Rd. CV6—7K 9
Queen Mary's Rd. CV12—1H 5
Queen Philippa St. CV3—3E 20

Queen's Clo. CV8—5G 23
Queensland Av. CV5—6F 15
Queens Rd. CV1—5B 2 & 6H 15
Queen's Rd. CV8—5G 23
Queen St. CV1—1G 3 & 4K 15
Queen St. CV12—4H 5
Queen Victoria Rd. CV1—4D 2 & 6J 15
Quilletts Clo. CV6—6C 10
Quinton Pde. CV3—2E 20
Quinton Pk. CV3—2E 20
Quinton Rd. CV1—7F 3 & 7K 15
Quinton Rd. CV3—1E 20
Quorn Way. CV3—1B 22

Radcliffe Rd. CV5—1A 20
Radford Circle. CV6—4H 15
Radford Radial. CV1—1D 2 & 4J 15
Radford Rd. CV6—1G 15
Raglan Gro. CV8—3J 23
Raglan St. CV1—3H 3 & 5A 16
Raleigh Rd. CV2—5D 16
Ralph Rd. CV6—3F 15
Ramsay Cres. CV5—1B 14
Ranby Rd. CV2—4B 16
Randall Rd. CV8—5G 23
Randle St. CV6—3G 15
Rangemoor. CV3—3A 22
Rannock Clo. CV3—6J 17
Ransom Rd. CV6—7A 10
Ranulf Croft. CV3—2D 20
Ranulf St. CV3—2D 20
Raphael Clo. CV5—5C 14
Rathbone Clo. CV7—1F 9
Ravencragg Rd. CV5—1K 19
Ravensdale Rd. CV2—5E 16
Ravensthorpe Clo. CV3—1B 22
Rawnsley Dri. CV8—3J 23
Raymond Clo. CV6—2B 10
Raynor Cres. CV12—5C 4
Reading Clo. CV2—4D 10
Read St. CV1—3J 3 & 5A 16
Recreation Rd. CV6—4C 10
Rectory Clo. CV5—2C 14
Rectory Clo. CV7—5F 5
Rectory Dri. CV7—5F 5
Rectory La. CV5—2C 14
Redcar Rd. CV1—3A 16
Redditch Wlk. CV2—1J 17
Redesdale Av. CV6—4F 15
Redfern Av. CV8—3H 23
Redland Clo. CV2—5F 11
Red La. CV6—5A 16
Red La. CV8—5A 18
Redruth Clo. CV6—7C 10
Rees Dri. CV3—5D 20
Regency Dri. CV3—4A 20
Regency Dri. CV8—5G 23
Regent St. CV1—6B 2 & 7H 15
Regent St. CV12—1H 7
Regina Cres. CV3—1J 17
Regis Wlk. CV2—1H 17
Rembrandt Clo. CV5—5C 14
Remembrance Rd. CV3—3A 22
Renfrew Wlk. CV4—2F 19
Renison Rd. CV12—5D 4
Repton Dri. CV6—5D 10
Rex Clo. CV4—1C 18
Ribble Clo. CV12—2A 4
Ribble Rd. CV3—6B 16
Richard Joy Clo. CV6—5J 9
Richards Clo. CV8—3G 23
Richmond St. CV2—5C 16
Riddings, The. CV5—2J 19
Ridge Ct. CV5—2A 14
Ridgethorpe. CV3—3B 22
Ridgeway Av. CV3—3D 20
Ridgley Rd. CV4—7J 13
Rigdale Clo. CV2—6G 17
Riley Clo. CV8—4K 23
Riley Sq. CV2—4D 10
Ringway. Hillcross. CV1—2C 2 & 5H 15
Ringway, Queens. CV1—5C 2 & 6H 15
Ringway. Rudge. CV1—4B 2 & 6H 15
Ringway, St Johns. CV1—5G 3 & 6K 15
Ringway, St Nicholas. CV1
—2D 2 & 5J 15
Ringway, St Patrick's. CV1
—6E 2 & 7J 15
Ringway, Swanswell. CV1
—2F 3 & 5K 15
Ringway, Whitefriars. CV1
—4G 3 & 6K 15
Ringwood Highway. CV2—5G 11
Ripon Clo. CV5—7A 8
Risborough Clo. CV5—5C 14
River Clo. CV12—5E 4
Riverford Croft. CV4—5F 19
Riverside Clo. CV3—2G 21
River Wlk. CV2—6E 10
Roadway Clo. CV12—4G 5
Robert Clo. CV3—5K 21

Robert Cramb Av. CV4—1E 18
Robert Rd. CV7—6E 4
Robin Hood Rd. CV3—3K 21
Robinson Rd. CV12—6C 4
Rochester Rd. CV5—1K 19
Rock Clo. CV6—6D 10
Rock La. CV7—1C 8
Rocky La. CV4—5K 23
Rodway Dri. CV3—4H 13
Roland Av. CV6—4H 9
Roland Mt. CV6—4J 9
Rollason Clo. CV6—7J 9
Rollason Rd. CV6—7H 9
Rollason's Yd. CV6—4C 10
Roman Rd. CV2—5C 16
Roman Way. CV3—6E 20
Romford Rd. CV6—5H 9
Ro-oak Rd. CV6—3H 15
Rookery La. CV6—3H 9
Roosevelt Dri. CV4—6J 13
Rosaville Cres. CV5—2A 14
Rose Av. CV6—3F 15
Roseberry Av. CV6—6D 10
Rose Croft. CV8—2F 23
Rosegreen Clo. CV3—3F 21
Rosehip Dri. CV2—2D 16
Roseland Rd. CV8—6G 23
Roselands Av. CV2—7F 11
Rosemary Clo. CV5—5J 13
Rosemary Hill. CV8—3G 23
Rosemount Clo. CV2—1G 17
Rosemullion Clo. CV7—6G 5
Ross Clo. CV5—3A 14
Rosslyn Av. CV6—2E 14
Rotherham Rd. CV6—5H 9
Rothesay Av. CV4—6B 14
Roughknowles Rd. CV4—3C 18
Rouncil La. CV8—7F 23
Round Ho. Rd. CV3—1H 21
Rounds Hill. CV8—6F 23
Rover Rd. CV1—4D 2 & 6J 15
Rowan Gro. CV2—5G 11
Rowans, The. CV12—4D 4
Rowcroft Rd. CV2—2J 17
Rowington Clo. CV6—3D 14
Rowley Dri. CV3—5J 21
Rowley La. CV3—6A 22
Rowley Rd. CV8—6G 21
Rowley's Grn. La. CV6—3A 10
Royal Cres. CV3—4K 21
Royal Oak La. CV7—7B 4
Royal Oak Yd. CV12—2G 5
Rubens Clo. CV5—5C 14
Rudge Rd. CV1—4C 2 & 6H 15
Rugby Rd. CV3—1E 22
Rugby Rd. CV12—2C 4
Runcorn Wlk. CV2—1J 17
Rupert Rd. CV6—7H 9
Rushall Path. CV4—2G 19
Rushmoor Dri. CV5—5D 14
Ruskin Clo. CV6—2D 14
Russell St. CV1—4K 15
Russell St. N. CV1—4K 15
Rutherglen Av. CV3—3H 21
Rutland Croft. CV3—1C 22
Rydal Clo. CV5—7B 8
Rye Hill La. CV5—2A 14
Rye Piece Ringway. CV12—3G 5
Ryhope Clo. CV12—5B 4
Ryley St. CV1—3C 2 & 5H 15
Rylston Av. CV6—6G 9
Rynolds Rd. CV12—2F 5
Ryton Clo. CV4—1G 19

Saddington Rd. CV3—1B 22
Sadler Rd. CV6—1G 15
St Agatha's Rd. CV2—5C 16
St Agnes La. CV1—2E 2 & 5J 15
St Andrew's Rd. CV5—1A 20
St Ann's Rd. CV2—5C 16
St Austell Rd. CV2—5G 17
St Bernards Wlk. CV3—3A 22
St Catherines Clo. CV3—1J 21
St Christian's Croft. CV3—1F 21
St Christian's Rd. CV3—1F 21
St Columbas Clo. CV1—1D 2 & 4J 15
St Davids Clo. CV3—2C 22
St Elizabeth's Rd. CV6—1A 16
St George's La. CV1—6B 16
St Giles Rd. CV7—1K 9
St Helen's Way. CV5—7B 8
St Ives Rd. CV2—5F 17
St James Gdns. CV12—2B 4
St James La. CV3—4K 21
St John's Av. CV8—5G 23
St John's St. CV8—5G 23
St John St. CV1—5F 3 & 6K 15
St Jude's cres. CV3—2A 22
St Just's Rd. CV2—4H 17
St Lawrence's Rd. CV6—6B 10
St Luke's Rd. CV6—4K 9

St Margaret Rd. CV1—4K 3 & 6B 16
St Martins Rd. CV3—6D 20
St Mary St. CV1—4F 3 & 6K 15
St Michael's Rd. CV2—5C 16
St Nicholas Av. CV8—5G 23
St Nicholas St. CV1—1D 2 & 4J 15
St Osburg's Rd. CV2—5C 16
St Patricks Rd. CV1—5E 2 & 6J 15
St Paul's Rd. CV6—2A 16
St Thomas Rd. CV6—4C 10
Salcombe Clo. CV3—3A 22
Salisbury Av. CV3—3D 20
Salt La. CV1—4E 2 & 6J 15
Sam Gault Clo. CV3—2C 22
Sampson Clo. CV2—6E 10
Sandby Clo. CV12—2F 5
Sanders Rd. CV6—1D 10
Sandford Clo. CV2—4F 11
Sandgate Cres. CV2—6F 17
Sandhurst Gro. CV6—3H 15
Sandilands Clo. CV2—4G 17
Sandown Av. CV6—5B 10
Sandpit Cotts. CV5—6H 7
Sandpits La. CV6—6E 8
Sandwick Clo. CV3—1C 22
Sandy La. CV1 & CV6—3J 15
Sandythorpe. CV3—3B 22
Santos Clo. CV3—1C 22
Sapcote Gro. CV2—3D 10
Sapphire Ga. CV2—6E 16
Saunders Av. CV12—4G 5
Saunton Clo. CV5—7B 8
Saville Gro. CV8—4K 23
Saxon Rd. CV2—4D 16
Scafell Clo. CV5—4A 14
Scarborough Way. CV2—2E 18
Schofield Rd. CV7—1G 9
School Ho. La. CV2—2J 17
School La. CV7—7D 4
School La. CV8—3G 23
School Rd. CV12—2A 4
Scotchill, The. CV6—6G 9
Scots La. CV6—2F 15
Scott Rd. CV8—6F 23
Seaford Clo. CV2—3D 10
Seagrave Rd. CV1—5H 3 & 6A 16
Sealand Dri. CV12—3F 5
Sebastian Clo. CV3—4J 21
Second Av. CV3—7E 16
Sedgemoor Rd. CV3—4J 21
Seedfield Croft. CV3—2E 20
Sefton Rd. CV4—3K 19
Selsey Clo. CV3—5K 21
Selworthy Rd. CV6—4K 9
Seneshal Rd. CV3—2F 21
Severn Rd. CV1—7B 16
Severn Rd. CV12—1A 4
Sewall Highway. CV6—1D 16
Seymour Rd. CV3—4K 21
Shadowbrook Rd. CV6—3G 15
Shaftesbury Av. CV7—1G 9
Shaftesbury Rd. CV5—1A 20
Shaft La. CV7—3D 6
Shakespeare Av. CV12—4J 5
Shakespeare St. CV2—3D 16
Shakleton Rd. CV5—6G 15
Shanklin Rd. CV3—5J 21
Sharp Clo. CV6—5J 9
Sharratt Rd. CV12—4F 5
Shelfield Clo. CV5—5B 14
Shelley Clo. CV12—5J 5
Shelley Rd. CV2—5E 16
Shellon Clo. CV3—1C 22
Shelton Sq. CV1—4D 2 & 6J 15
Shepherd Clo. CV4—5K 13
Sherbourne Cres. CV5—4E 14
Sherbourne St. CV1—4A 2 & 6G 15
Sheriff Av. CV4—2G 19
Sherington Av. CV5—4C 14
Sherlock Rd. CV5—5D 14
Shetland Clo. CV5—4A 14
Shetland Rd. CV3—4J 21
Shillingstone Clo. CV2—4J 17
Shilton La. CV2 & CV7—5G to 3J 11
Shilton La. CV12—3C 4
Shipston Rd. CV2—2E 16
Shire Clo. CV6—6D 10
Shirlett Clo. CV2—3D 10
Shirley La. CV5—3E 12
Shirley Rd. CV2—1H 17
Shorncliffe Rd. CV6—2D 14
Shortlands. CV7—1K 9
Shortley Rd. CV3—1F 21
Short St. CV1—5G 3 & 6K 15
Shottery Clo. CV5—5B 14
Showell La. CV7—6D 6
Shrubberies, The. CV4—5J 19
Shulmans Wlk. CV2—1F 17
Shultern La. CV4—3H 19
Shuna Croft. CV2—1J 17
Shut La. CV1—4J 3 & 6A 16
Shuttle St. CV6—7D 10

Sibree Rd. CV3—5J 21
Sibton Clo. CV2—6D 10
Siddeley Av. CV3—7D 16
Siddeley Av. CV8—5F 23
Sidmouth Clo. CV2—1E 16
Silksby St. CV3—1E 20
Silver Birch Av. CV12—4D 4
Silverdale Clo. CV2—3D 10
Silver St. CV1—2E 2 & 5J 15
Silverton Rd. CV1—1B 16
Simon Stone St. CV6—7B 10
Singer Clo. CV6—7C 10
Sir Henry Parkes Rd. CV4 & CV5—2H 19
Sir Thomas White's Rd. CV6—6F 15
Sir William Lyons Rd CV4—3H 19
Siskin Dri. CV3—7K 21
Skipton Gdns. CV2—2D 16
Sky Blue Way. CV1—3J 3 & 5A 16
Sleath's Yd. CV12—3G 5
Sledmere Clo. CV2—6H 11
Smalley Pl. CV8—4G 23
Smarts Rd. CV12—5E 4
Smithford Way. CV1—3D 2 & 5J 15
Smith St. CV6—3B 16
Smith St. CV12—5D 4
Smorrall La. CV12—4A to 5D 4
Snape Rd. CV2—3H 17
Soden Clo. CV3—3A 22
Solent Dri. CV2—6H 11
Somerly Clo. CV3—1C 22
Somerset Rd. CV1—4J 15
Somers Rd. CV7—1F 9
Sommerville Rd. CV2—4E 16
Sorrel Clo. CV4—1D 18
Southam Clo. CV4—2D 18
South Av. CV2—6C 16
Southbank Clo. CV8—4G 23
Southbank Rd. CV6—3E 14
Southbank Rd. CV8—4G 23
Southcott Way. CV2—6H 11
Southfield Dri. CV8—2H 23
Southleigh Av. CV5—3A 20
Southport Clo. CV3—4J 21
S. Ridge. CV5—4B 14
South St. CV1—3J 3 & 5A 16
Sovereign Rd. CV5—6F 15
Sovereign Row. CV1—4A 2 & 6G 15
Sparbrook St. CV1—2K 3 & 5B 16
Spencer Av. CV5—7C 2 & 7G 15
Spencer Rd. CV5—7C 2 & 7H 15
Spencers La. CV7—6B to 7D 12
Spindle St. CV1—2K 15
Spinney Path. CV3—4A 20
Spinney, The. CV4—6J 19
Spon Causeway. CV1—3A 2 & 5G 15
Spon End. CV1—5G 15
Spon St. CV1—3C 2 & 5H 15
Spring Clo. CV1—2J 3 & 5A 16
Springfield Cres. CV12—4G 5
Springfield Pl. CV1—4K 15
Springfield Rd. CV1—4K 15
Spring La. CV8—3H 23
Spring Rd. CV6—7B 10
Spring Rd. CV7—1K 11
Spring St. CV1—2J 3 & 5A 16
Spruce Rd. CV2—5D 10
Square La. CV7—1C 8
Square, The. CV8—4G 23
Squires Croft. CV2—6H 11
Stadium Clo. CV6—5K 9
Stafford Clo. CV12—3B 4
Staircase La. CV5—2C 14
Stamford Av. CV3—3D 20
Standard Av. CV4—7A 14
Standish Clo. CV2—6G 17
Stanley Rd. CV5—1A 20
Stanway Rd. CV5—1B 20
Staples Clo. CV12—2B 4
Starcross Clo. CV2—1E 16
Stare Grn. CV4—3J 19
Stareton Clo. CV4—3K 19
Starley Rd. CV1—4C 2 & 6H 15
Startin Clo. CV7—7E 4
Station Av. CV4—1C 18
Station Rd. CV8—4G 23
Station Sq. CV1—6D 2 & 7J 15
Station St. East. CV6—1A 16
Station St. W. CV6—7K 9
Staverton Clo. CV5—5K 13
Steeplefield Clo. CV6—3G 15
Stennels Clo. CV6—7F 9
Stephenson Rd. CV7—7H 5
Stepney Rd. CV2—4C 16
Stepping Stones Rd. CV5—4F 15
Stevenage Wlk. CV2—4J 17
Stevenson Rd. CV6—7G 9
Stirling Clo. CV3—1C 22
Stivichall & Cheylesmore By-Pass. CV3
                                    —5F 21
Stivichall Croft. CV3—3C 20
Stockton Rd. CV1—4A 16
Stoke Grn. CV3—6C 16

Stoke Grn. Cres. CV3—7D 16
Stoke Row. CV2—4C 16
Stonebridge Highway. CV3
                       —5D 20 to 5K 21
Stonebrook Way. CV6—4B 10
Stonebury Av. CV5—4H 13
Stonefield Clo. CV2—7J 11
Stonehaven Dri. CV3—6D 20
Stonehouse La. CV3—5K 21
Stoneleigh Av. CV5—2A 20
Stoneleigh Av. CV8—2H 23
Stoneleigh Rd. CV4—7J 19
Stoneleigh Rd. CV8—2H 23
Stoney Rd. CV1—7E 2 & 7J 15
Stoney Stanton Rd. CV1 & CV6
                      —4K 15 to 1B 16
Stoneywood Rd. CV2—7H 11
Stowe Pl. CV4—7G 13
Stratford St. CV2—4C 16
Strathmore Av. CV1—5H 3 & 6A 16
Strawberry Wlk. CV2—5F 11
Streamside Clo. CV5—7A 8
Stretton Av. CV3—4K 21
Stuart Clo. CV7—7C 10
Stubbs Clo. CV12—2F 5
Stubbs Gro. CV2—3J 17
Studland Grn. CV2—4J 17
Sturley Clo. CV8—2J 23
Sturminster Clo. CV2—4J 17
Styvechale Av. CV5—1A 20
Suffolk Clo. CV5—5B 14
Suffolk Clo. CV12—3E 4
Sulgrave Clo. CV6—1J 17
Sullivan Rd. CV6—1D 16
Sunbury Rd. CV3—5K 21
Suncliffe Dri. CV8—6G 23
Sundew St. CV2—5F 11
Sundorne Clo. CV5—4A 14
Sunningdale Av. CV6—5K 9
Sunningdale Av. CV8—4J 23
Sunnybank Av. CV3—4J 21
Sunnyside Clo. CV5—5F 15
Sunshine Clo. CV8—2H 23
Sunway Gro. CV3—3C 20
Sussex Rd. CV5—4F 15
Sutherland Av. CV5—4A 14
Sutherland Dri. CV12—2F 5
Sutton Av. CV5—3G 13
Sutton Stop. CV6—2D 10
Swallow Rd. CV6—7E 8
  (Coundon)
Swallow Rd. CV6—6J 9
  (Keresley Heath)
Swanage Grn. CV2—3J 17
Swancroft Rd. CV2—3B 16
Swan La. CV2—4B 16
Swanswell St. CV1—1G 3 & 4K 15
Swift's Corner. CV3—1F 21
Swillinton Rd. CV6—3H 15
Swinburne Av. CV2—6F 17
Swindle Croft. CV3—1C 22
Sycamore Rd. CV2—5D 10
Sydnall Rd. CV6—3B 10
Sylvan Dri. CV3—3A 20
Synkere Clo. CV7—1G 9

Tachbrook Clo. CV2—5E 10
Tackford Rd. CV6—7C 10
Tainters Hill. CV8—2G 23
Talbot Clo. CV4—2C 18
Talisman Sq. CV8—4G 23
Tallants Clo. CV6—7C 10
Tallants Rd. CV6—7B 10
Tamar Clo. CV12—1A 4
Tamar Rd. CV12—2A 4
Tamworth Rd. CV5, CV6 & CV7
                       —1C 8 to 6F 9
Tanner's La. CV7—7E 12
Tannery Ct. CV8—4H 23
Tanyard Clo. CV4—7H 13
Tapcon Way. CV2—3H 17
Tappinger Gro. CV8—3K 23
Tarlington Rd. CV6—2E 14
Tarn Clo. CV12—4F 5
Tarquin Clo. CV3—2A 22
Tarrant Wlk. CV2—3J 17
Taunton Way. CV6—6G 9
Tavistock Ho. CV12—5C 4
Tavistock Wlk. CV2—1E 16
Taylor Clo. CV2—2J 23
Tay Rd. CV6—2H 15
Teachers Clo. CV6—3G 15
Ted Pitts La. CV5—5B 8
Telephone Rd. CV3—6E 16
Telfer Rd. CV6—1H 15
  (in two parts)
Telford Rd. CV7—6H 5
Templar Av. CV4—7A 14
Templars' Fields. CV4—2G 19
Tenby Clo. CV12—5B 4
Teneriffe Rd. CV6—6B 10

Tennyson Clo. CV8—4K 23
Tennyson Rd. CV2—5E 16
Terry Rd. CV1—5K 3 & 6B 16
Thackhall St. CV2—1K 3 & 4B 16
Thames Clo. CV12—1A 4
Thamley Rd. CV6—4G 15
Thebes Clo. CV5—7F 7
Theddingworth Clo. CV3—1B 22
Thickthorn Clo. CV8—6J 23
Thickthorn Meadows. CV8—6J 23
Thickthorn Orchards. CV8—6J 23
Thimbler Rd. CV4—2H 19
Thirlestane Clo. CV8—2K 23
Thirlmere Clo. CV4—5J 13
Thirlmere Rd. CV12—4F 5
Thirsk Rd. CV3—4D 20
Thistley Field E. CV6—2F 15
Thistley Field N. CV6—1G 15
Thistley Field S. CV6—2F 15
Thistley Field W. CV6—1F 15
Thomas La. St. CV6—6C 10
Thomas Lansdail St. CV3—7F 3 & 7K 15
Thomas Naul Croft. CV4—5K 13
Thomas Sharp St. CV4—2F 19
Thomas St. CV12—4F 5
Thompsons Rd. CV7—1E 8
Thornby Av. CV8—5H 23
Thorney Rd. CV2—2D 16
Thornhill Rd. CV1—3K 15
Thornton Clo. CV5—4G 13
Threadneedle St. CV1—2K 15
Three Spiers Av. CV6—3G 15
Thurlestone Rd. CV6—7F 9
Tiber Clo. CV5—4K 13
Tile Hill La. CV4 & CV5—7H 13 to 6E 14
Tilewood Av. CV5—4J 13
Timothy Gro. CV4—7B 14
Tintagel Clo. CV3—4A 22
Tintagel Gro. CV8—4J 23
Tisdale Rise. CV8—2J 23
Tiverton Gro. CV2—3F 17
Tiverton Rd. CV2—3F 17
Tiveycourt Rd. CV6—4C 10
Tocil Croft. CV4—4J 19
Tollard Clo. CV2—3H 17
Tom Henderson Clo. CV3—2C 22
Tomson Av. CV6—3H 15
Tom Ward Clo. CV3—2B 22
Tonbridge Rd. CV3—3H 21
Topp Heath. CV12—5D 4
Topp's Dri. CV12—5D 4
Top Rd. CV7—1K 11
Torbay Rd. CV5—4C 14
Torcase Clo. CV6—1B 16
Torcross Av. CV2—3E 16
Torpoint Clo. CV2—3E 16
Torrington Av. CV4—1C 18
Torwood Clo. CV4—3E 18
Totness Clo. CV2—1E 16
Tower Rd. CV12—4G 5
Towers Clo. CV8—7G 23
Tower St. CV1—2E 2 & 5J 15
Townfields Clo. CV5—1B 14
Townsend Croft. CV3—2D 20
Townsend Rd. CV3—1D 20
Tredington Rd. CV5—4K 13
Treedale Clo. CV4—1C 18
Treforest Rd. CV3—1K 21
Tregorrick Rd. CV7—7F 5
Tregullan Rd. CV7—6G 5
Treherne Rd. CV6—7H 9
Trelawney Rd. CV7—7F 5
Trenance Rd. CV7—7F 5
Treneere Rd. CV7—6G 5
Trensale Av. CV6—4F 15
Trentham Gdns. CV8—3K 23
Trentham Rd. CV1—4H 16
Trent Rd. CV12—2A 4
Tresillian Rd. CV7—6G 5
Treviscoe Clo. CV7—7F 5
Trevor Clo. CV4—1C 18
Trevose Rd. CV7—6G 5
Trewint Clo. CV7—6F 5
Triangle, The. CV5—5B 14
Trinity St. CV1—3E 2 & 5J 15
Triumph Clo. CV2—5G 17
Trossachs Rd. CV5—5K 13
Troughton Cres. CV6—3G 15
Troutbeck Rd. CV5—4K 13
Troyes Clo. CV3—2E 20
Tudor Av. CV5—5K 13
Tulip Tree Av. CV8—4J 23
Tulip Tree Ct. CV8—4J 23
Tulliver Clo. CV12—2G 5
Tulliver St. CV6—3H 15
Turlands Clo. CV2—1J 17
Turner Clo. CV12—2F 5
Turner Rd. CV5—5D 14
Turton Way. CV8—4K 23
Tutbury Av. CV4—3K 19
Tybalt Clo. CV3—4K 21
Tynemouth Clo. CV2—2F 11

Tynward Clo. CV3—4C 20
Tysoe Croft. CV3—1C 22

Ullswater Rd. CV3—7G 17
Ullswater Rd. CV12—4F 5
Ulverscroft Rd. CV3—2D 20
Underhill Clo. CV3—6E 20
Unicorn Av. CV5—4J 13
Unicorn La. CV5—4K 13
Union Pl. CV6—2B 10
Uplands. CV2—3C 16
Up. Eastern Grn. La. CV5—3G 13
Up. Ladyes Hills. CV8—2H 23
Up. Park. CV3—4A 22
Up. Ride. CV3—4A 22
Up. Rosemary Hill. CV8—3G 23
Up. Spring La. CV8—2G 23
Upr. Hill St. CV1—2C 2 & 5H 15
Upr. Spon St. CV1—3A 2 & 5G 15
Upr. Well St. CV1—2D 2 & 5J 15
Upr. York St. CV1—5B 2 & 6H 15
Upton Croft. CV5—5A 14
Utrillo Clo. CV5—5C 14
Uxbridge Av. CV3—6E 16

Vale, The. CV3—1J 21
Valley Rd. CV2—2C 16
Van Dyke Clo. CV5—5C 14
Vardon Dri. CV3—5E 20
Vauxhall Clo. CV1—2J 3 & 5A 16
Vauxhall St. CV1—2J 3 & 5A 16
Ventnor Clo. CV2—5G 17
Vequeray St. CV1—4J 3 & 6A 16
Vernon Clo. CV1—2J 3 & 5A 16
Vicarage Gdns. CV8—6H 23
Vicarage La. CV7—7B 4
Victoria St. CV1—1H 3 & 4A 16
Victory Rd. CV6—7A 10
Villa Clo. CV12—3A 4
Villa Cres. CV12—3B 4
Villa Rd. CV6—2H 15
Villiers Rd. CV8—3J 23
Villiers St. CV2—5C 16
Vincent St. CV1—4B 2 & 6H 15
Vinecote Rd. CV6—4B 10
Vine St. CV1—1G 3 & 4K 15
Violet Clo. CV2—5E 10
Virginia Rd. CV1—2H 3 & 5A 16

Wade Av. CV3—4C 20
Wainbody Av. N. CV3—4B 20
Wainbody Av. S. CV3—5A 20
Wakefield Clo. CV3—2C 22
Waldens Yd. CV6—4C 10
Wallace Rd. CV6—7G 9
Wall Hill Rd. CV5 & CV7—1J 7 to 5D 8
Wall Hill Rd. CV7—1H 7
Walnut St. CV2—5D 10
Walnut Tree Clo. CV8—5H 23
Walsall St. CV4—2F 19
Walsgrave Gdns. CV2—1J 17
Walsgrave Rd. CV2—5B to 4E 16
Walsh La. CV7—5C 6
Walter Scott Rd. CV12—5H 5
Walton Clo. CV3—2B 22
Wanley Rd. CV3—3E 20
Wansfell Clo. CV4—2F 19
Wappenbury Clo. CV2—5E 10
Wappenbury Rd. CV2—5F 11
Warden Rd. CV6—2H 15
Wardens Av., The. CV5—2B 14
Wareham Grn. CV2—3J 17
Warmington Clo. CV3—1B 22
Warmwell Clo. CV2—4H 17
Warner Row. CV6—1B 16
Warren Grn. CV4—2E 18
Warton Clo. CV8—4K 23
Warwick Av., CV5—2B 20
Warwick La. CV1—4E 2 & 6J 15
Warwick Rd. CV1—5D 2 & 6J 15
Warwick Rd. CV3—1C 20
Warwick Rd. CV8—4G 23
Warwick Row. CV1—5D 2 & 6J 15
Warwick St. CV5—1A 20
Washbrook La. CV5—5A 8
Wasperton Clo. CV3—1C 22
Waste La. CV6—6E 8
Watch Clo. CV1—3C 2 & 5H 15
Watcombe Rd. CV2—7G 11
Watercall Av. CV3—4D 20
Waterfall Clo. CV7—6A 6
Waterloo St. CV1—1J 3 & 4A 16
Watermeet Gro. CV2—2D 16
Watermeet Rd. CV2—2D 16
Water Tower La. CV8—2G 23
Watery La. CV5—3K 19
Watery La. CV6 & CV7—3F 9
Watery La. CV7—3J 7
Watling Rd. CV8—2J 23

Watson Rd. CV5—5D 14
Waveley Rd. CV1—3A 2 & 5G 15
Waverley Rd. CV8—5H 23
Weavers Wlk. CV6—7D 10
Webster Av. CV8—3J 23
Webster St. CV6—1A 16
Wedon Clo. CV4—2D 18
Welford Pl. CV6—1K 15
Welgarth Av. CV6—2E 14
Welland Rd. CV1—6K 3 & 7B 16
Wellesbourne Rd. CV5—5A 14
Wellington St. CV1—1H 3 & 4A 16
Well St. CV1—2E 2 & 5J 15
Welsh Rd. CV2—4D 16
Wendiburgh St. CV4—2F 19
Wendover Rise. CV5—4C 14
Wessex Clo. CV12—3F 5
West Av. CV2—6C 16
West Av. CV12—4J 5
Westbury Rd. CV5—3D 14
Westcliffe Dri. CV3—4C 20
Westcotes. CV4—7B 14
Westhill Rd. CV6—2F 15
Westleigh Av. CV5—2A 20
Westmede Centre. CV5—5C 14
Westminster Rd. CV1—6C 2 & 7H 15
Westmoreland Rd. CV2—4H 17
Westonbirt Clo. CV8—2K 23
Weston La. CV12—1A 4
W. Ridge. CV5—3A 14
West St. CV1—3J 3 & 5A 16
Westwood Heath Rd. CV4
    —3B 18 to 4F 19
Westwood Rd. CV5—7G 15
Westwood Way. CV4—3E 18 & 3F 19
Wexford Rd. CV2—6F 11
Weymouth Clo. CV3—4A 22
Whaley's Croft. CV6—7H 9
Wharf Rd. CV6—3B 16
Whateley's Dri. CV8—4H 23
Wheate Croft. CV4—6K 13
Wheelwright La. CV6 & CV7—3J 9
Wheler Rd. CV3—2H 21
Whichcote Av. CV7—6A 6
Whitaker Rd. CV5—5C 14
Whitburn Rd. CV12—4B 4 .

Whitchurch Way. CV4—1E 18
Whitefield Clo. CV4—3C 18
Whitefriars La. CV1—5G 3 & 6K 15
Whitefriars Rd. CV1—5G 3 & 6K 15
Whitefriars St. CV1—4G 3 & 6K 15
Whitehorse Clo. CV6—1D 10
Whitelaw Cres. CV5—2C 14
Whitemoor Rd. CV8—3H 23
Whiteside Clo. CV3—1C 22
Whites Row. CV8—6H 23
White St. CV1—2F 3 & 5K 15
Whitley Village. CV3—2G 21
Whitmore Pk. Rd. CV6—4J 9
Whitnash Gro. CV2—3F 17
Whittle Clo. CV3—1C 22
Whitworth Av. CV3—7D 16
Whoberley Av. CV5—5D 14
Wickham Clo. CV6—5F 9
Widdecombe Clo. CV2—7F 11
Widdrington Rd. CV1—3J 15
Wigston Rd. CV2—6H 11
Wildcroft Rd. CV5—6C 14
Wildey Rd. CV12—4C 4
Wildmoor Clo. CV2—3D 10
Willenhall La. CV3—2C 22
William Arnold Clo. CV2—4C 16
William Bree Av. CV5—3G 13
William Bristow Rd. CV3—2F 21
William Groubb Clo. CV3—2B 22
William Mc. Cool Clo. CV3—2C 22
William Mc. Kee Clo. CV3—2B 22
William St. CV12—4J 5
Willis Gro. CV12—3H 5
Willoughby Av. CV8—5F 23
Willoughby Clo. CV3—1B 22
Willow Clo. CV12—1F 5
Willow Gro. CV4—6B 14
Willowherb Clo. CV3—1C 22
Willow Meet. CV8—3J 23
Willows, The. CV12—4D 4
Wilmcote Grn. CV5—5A 14
Wilson Gro. CV8—4K 23
Wilsons La. CV6—2B 10
Wiltshire Clo. CV5—5B 14
Wiltshire Clo. CV12—3F 5
Wimbourne Dri. CV2—4H 17

Winceby Pl. CV4—7H 13
Winchat Clo. CV3—7H 17
Winchester St. CV1—2H 3 & 5A 16
Wincote Clo. CV8—4H 23
Windermere Av. CV3—7G 17
Windermere Av. CV5—4J 13
Windmill Clo. CV8—2H 23
Windmill Hill, The. CV5—1A 14
Windmill La. CV7—1H 7
Windmill Rd. CV6—4B 10
Windmill Rd. CV7—6E 4
Windridge Clo. CV3—3A 22
Windsor St. CV1—4B 2 & 6H 15
Windy Arbour. CV8—5J 23
Wingfield Way. CV6—5G 9
Wingrave Clo. CV5—2A 14
Winifred Av. CV5—6A 2 & 7G 15
Winnalthorpe. CV3—3B 22
Winsford Av. CV5—4B 14
Winslow Clo. CV5—5B 14
Winster Clo. CV7—1G 9
Winston Av. CV2—7F 11
Winston Clo. CV2—7F 11
Winterton Rd. CV12—3B 4
Wisley Gro. CV8—3K 23
Wisteria Clo. CV2—5D 10
Withybrook Rd. CV12—2C 4
Wolfe Rd. CV4—2E 18
Wolsey St. CV3—3A 22
Wolverton Rd. CV5—5A 14
Wolvey Rd. CV12—2C 4
Woodburn Clo. CV5—4B 14
Woodclose Av. CV6—2F 15
Woodcraft Clo. CV4—6A 14
Woodend Croft. CV4—1D 18
Woodfield Rd. CV5—1K 19
Woodford Clo. CV7—2K 9
Wood Hill Rise. CV6—5K 9
Woodhouse Clo. CV3—1B 22
Woodhouse Yd. CV6—3C 10
Woodland Av. CV5—2A 20
Woodland Rd. CV8—1J 23
Woodlands La. CV12—2D 4
Woodlands Rd. CV12—3D 4
Woodridge Av. CV5—2K 13

Woodshires Rd. CV6—2B 10
Woodside Av. N. CV3—3A 20
Woodside Av. S. CV3—4A 20
Woodstock Rd. CV3—2E 20
Wood St. CV12—2F 5
Woodway Clo. CV2—7H 11
Woodway La. CV2—1H 17
Woodway Wlk. CV2—7G 11
Woolgrove St. CV6—4C 10
Wootton St. CV12—3H 5
Worcester Clo. CV5—1B 14
Worcester Rd. CV8—5J 23
Wordsworth Dri. CV8—4K 23
Wordsworth Rd. CV2—4E 16
Wordsworth Rd. CV12—5J 5
Worsfold Clo. CV5—1A 14
Wrenbury Dri. CV6—3C 10
Wren St. CV2—2K 3 & 5B 16
Wright St. CV1—3A 16
Wrigsham St. CV3—7F 3 & 7K 15
Wroxhall Dri. CV3—4K 21
Wychwood Av. CV3—6D 20
Wycliffe Gro. CV2—3D 16
Wycliffe Rd. W. CV2—3D 16
Wye Clo. CV12—2A 4
Wykeley Rd. CV2—4E 16
Wyken Av. CV2—3F 17
Wyken Croft. CV2—1F 17
Wyken Grange Rd. CV2—3E 16
Wyken Way. CV2—3C 16
Wyke Rd. CV2—4E 16
Wyld Ct. CV5—3B 14
Wyley Rd. CV6—2G 15
Wyver Cres. CV2—5E 16

Yardley St. CV1—1H 3 & 4A 16
Yarmouth Grn. CV4—1D 18
Yarningale Rd. CV3—4K 21
Yelverton Rd. CV6—7J 9
Yew Clo. CV3—7E 16
Yewdale Cres. CV2—6G 11
York Av. CV12—4J 5
York Clo. CV3—4K 21
York St. CV1—5B 2 & 6H 15
Yule Rd. CV2—3F 17